KB092608

논·술·한·국·대·표·문·학

51

금오신화·대동야승

김시습 | 작가미상

훈민출판사

연꽃. 〈대동야승〉에서 충선
왕과 원나라 여인이 주고받
은 시 속에 등장한 꽃이다.

The Best Korean Literature

불교의 연등 행사. 〈금오신화〉 중 〈만복사저포기〉의 양생은 아름
다운 배필을 만나게 해 달라고 부처님께 빈다.

호랑이. 〈대동야승〉의 강감찬 이야기에는 늙은 스님으로 변한 호랑이가 나온다.

〈금오신화〉의 다섯 이야기 중 〈만복사저포기〉(왼쪽)와 〈남염부주지〉(오른쪽)의 시작 부분

김시습의 시문집인 〈매월당집〉은 현재 국립중앙도서관에 소장되어 있다.

무량사. 김시습은 말년을 충남 무량사에서 보냈는데, 그가 죽은 후 화장을 하니 그의 몸에서 사리가 나왔다고 한다.

매월당 시비. 김시습의 문학적 업적을 기리는 시비가 무량사에 세워져 있다.

The Best Korean Literature

부도와 비. 불교에 귀의한 김시습의 사리가 안치된 곳으로, 조각 기법이 뛰어나다.

단종왕릉. 〈대동야승〉에는 어린 단종이 강원도 영월 땅에 유배되어 세조로부터 사약을 받았다는 이야기가 전해진다.

구인환(丘仁煥)

서울대학교 사범대학 졸업. 동 대학원 졸업(문학박사)
서울대학교 명예교수, 소설가(현). 서울대학교 사범대학 국어교육연구소 소장(현)
문학과문학교육연구소 소장(현). 국제펜 한국본부 부회장(현)
한국소설문학상(1987) 예술문화대상(1994) 한국문학상(2000)
작품 〈숨쉬는 영정〉, 〈살아 있는 날들〉, 〈일어서는 산〉 외 다수

• 저서 《한국단편소설의 이해》, 《한국현대소설의 비평적 성찰》,
　　《고교생이 알아야 할 소설》, 《고교생이 알아야 할 세계단편소설》 외 다수

윤병로(尹柄魯)

성균관대학교 국어국문학과 졸업. 동 대학원 졸업(문학박사)
성균관대학교 교수, 문학평론가(현). 한국현대소설학회장(현)
한국문예학술저작권협회 이사(현). 한국간행물윤리위원회 위원(현)
한국펜 문학상(1987). 한국문학상(1988). 대한민국문학상(1989)
수필집 《나의 작은 애인들》

• 저서 《현대 작가론》, 《한국 현대 소설의 탐구》,
　　《한국 근대 작가 작품 연구》, 《한국 현대작가의 문제작 평설》 외 다수

홍성암(洪性岩)

고려대학교 국어국문학과 졸업. 한양대학교 대학원 국어국문학과 졸업(문학박사)
동덕여자대학교 교수, 소설가(현). 한국문인협회 회원(현)
한국소설가협회 이사(현). 국제펜 한국본부 소설분과 이사(현). 한민족 문화학회 회장(현)
창작집 《큰 물로 가는 큰 고기》, 《어떤 귀향》 외
대하역사소설 《남한산성》(전9권) 외 다수

• 저서 《문학의 이해》, 《현대 작가론》, 《한국 근대 역사소설 연구》 외 다수

기
획
·
감
수

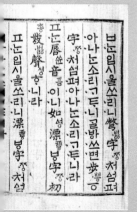

〈훈민정음〉의 자음 설명 부분. 〈대동야승〉에는 신숙주의 아들 이야기가 나오는데, 신숙주는 집현전의 여러 학자들과 함께 〈훈민정음〉의 창제를 위해 노력했다.

논술 한국대표문학을 펴내며

21세기의 사회는 '**전자 문명 시대**'라 일컬어질 만큼 오늘날 전자 산업은 우리 생활의 거의 모든 분야에 다양하게 응용되고 있습니다. 출판 분야 또한 예외는 아니어서, 종래의 서책(Book) 대신에 이른바 '전자책(CD-ROM)'의 출간이 최근 들어 날로 증가하고 있습니다.

그러나 이러한 전자책은 영상 또는 모니터상으로 흥미 위주나 백과사전식 지식을 습득하는 데는 효과적일지 모르지만, 문학 공부를 위해서는 별로 도움이 되지 않습니다. 바꾸어 말하면, 문학 공부는 각 지면마다 살아 숨쉬는 표현 하나하나를 독자 자신의 머리로 음미하면서 작품을 읽어 나가는 가운데, 풍부한 상상력의 배양과 함께 작가의 의도와 그 작품의 내면을 깊이 있게 이해함으로써 이루어지는 것입니다.

이에 훈민출판사에서는, 자라나는 학생들이 범람하는 영상 매체에 길들여지기 전에, 어려서부터 유명한 세계문학 작품들을 책자를 통하여 감명 깊게 읽고 감상함으로써, 올바른 문학 공부의 기틀을 다지고, 아울러 전인 교육도 할 수 있도록 《논술 한국대표문학(전60권)》을 펴내게 되었습니다.

작품 선정은, 초 · 중 · 고등학교 국어 교과서와 역사 교과서에 실리거나 소개된 문학 작품을 중심으로 하되, 그리스 신화와 성경 이야기 등의 고전에서부터 중세 · 근대 · 현대에 이르기까지 세르반테스 · 셰익스피어 · 톨스토이 등 세계 유명 작가들의 장 · 단편 소설들을 엄선 · 수록 하였습니다. 또 세계의 명시도 별권으로 엮었으며, 특히 각 단락마다 '**논술 문제**'를 제시하여, 장차 대학입시를 비롯한 각종 '논술 고사'에 예비 지식을 쌓을 수 있도록 배려하였습니다. 아무쪼록, 이 《논술 한국대표문학(전60권)》이 자라나는 학생들에게 문학 공부의 주춧돌이 되고, 나아가 미래를 살아가는 데 **정신적 자양분**이 되기를 진심으로 바라 마지않습니다.

훈민출판사

차례

금오신화

김시습

지은이

1435~1493년. 조선 전기의 문인. 생육신의 한 사람이다. 1455년, 세조의
왕위 찬탈에 반발하여 승려가 되었다. 성종 12년에 환속했으나, 이듬해 왕비
윤씨를 폐비하려는 사건이 일어나자 다시 방랑길에 올랐다. 1493년 충남 부
여의 무량사에서 세상을 떠났다. 평생 지조와 절개를 지켰으며, 유불선의 사
상을 폭넓게 받아들인 학자이자 뛰어난 문장가였다.

금오신화

만복사저포기

양생, 소원을 이루다

오래전 전라도 남원 땅에 양생이라는 한 선비가 살고 있었다. 그는 일찍 부모를 여의고 만복사라는 절에 기거하고 있었다. 양생은 장가도 못 간 자신의 신세를 한탄하며 배나무 아래에서 시를 읊곤 했다.

배나무 한 그루와 더불어 외로움을 달래니
귓전을 스치는 피리 소리는 어느 님의 노래일까?
희미한 등잔불은 내 신세와 같네.

이 때, 시에 화답이라도 하듯 하늘에서 소리가 들려왔다.
"무엇을 얻기를 간절히 원한다면 두려울 것이 무엇이겠느냐? 곧 이루어질 것이다."
양생은 이 소리에 문득 생각나는 것이 있었다.
'그렇지. 내일이 바로 3월 24일! 만복사에서 등불을 켜고 부처님께 소원을 비는 날이지. 처녀 총각들이 서로 만나는 것을 허락한 날이기도 하고……'

양생은 설레는 마음을 억누르고 잠을 청하였다.

날이 밝자, 만복사는 사람들로 발 디딜 틈이 없었다. 부처님께 불공을 드리는 사람, 등에 이름을 새기고 원하는 바를 글로 써 넣는 사람, 절을 돌며 소원을 비는 사람 등등……

땅거미가 지고 절에 왔던 대부분의 사람들이 돌아가기 시작하자, 양생은 살며시 법당 안으로 들어갔다. 부처님과 마주 앉게 된 그는 저고리 품에 넣어 두었던 저포(백제 시대의 놀이 기구로, 나무로 만들어진 주사위 같은 것)를 살며시 꺼내 놓았다.

"자비로우신 부처님, 오늘 전 저포놀이로 소원을 빌어 볼까 합니다. 제가 지면 백 일 동안 정성을 다해 불공을 드리겠습니다. 만약 제가 이기면 남은 여생을 함께할 천생 배필을 맺어 주십시오."

노총각 양생은 다시 한 번 마음속으로 소원을 빌며 손에 움켜쥐었던 저포를 힘껏 위로 던졌다. 두 번에 걸친 저포놀이는 소원대로 양생이 이겼다. 그는 뛸 듯이 기뻐하며 부처님께 합장을 했다.

양생은 불상 뒤로 몸을 감추고, 무슨 일이 일어나기를 기다리고 있었다. 밤이 깊어 가자 그는 쏟아지는 졸음을 참지 못하고 꾸벅꾸벅 졸기 시작하였다.

스르르…… 법당 문이 열리는 소리가 들리자 양생은 번쩍 잠이 깼다. 꿈인지 생시인지 문을 열고 들어오는 여인은 마치 하늘나라의 선녀 같았다. 앳되어 보이는 얼굴에 하얀 피부, 아름다운 이목구비, 단정한 옷차림은 첫눈에 양생의 마음을 흔들어 놓았다.

여인은 부처님 앞에 초를 켜고 향불을 지핀 후에 가지고 온 두루마리를 펼쳐 놓았다. 그 내용은 다음과 같았다.

소녀 부처님께 아뢰옵니다.

요 몇 년간 국경 지역은 왜구로 인해 시름이 끊일 날이 없었습니다. 거리에는 시체들이 나뒹굴고, 집은 불타오르고, 식량과 쇠붙이는 남아나질 않았습니다. 마을 사람들은 제각기 살 길을 찾아 떠나고, 마을은 텅 비었습니다.

저의 친척과 식구들도 사방으로 흩어져 몸이 허약한 소녀는 다락에 몸을 숨기고 약간의 음식으로 목숨을 연명하였습니다. 왜적들이 잠잠해지자 부모님이 돌아오셨습니다. 소녀가 왜적들로부터 정절을 지킨 것을 안 아버님께서 깊은 산골에 집을 한 채 마련해 주셨습니다. 저는 그 곳에서 순결을 지키며 외롭게 3년을 지냈습니다. 꽃과 나무, 새와 시냇물을 벗 삼고 흘러가는 구름을 보면서 날을 지새웠습니다.

사람은 본래 연분이 있다고 합니다. 꽃다운 나이인 저에게도 필시 천생배필이 정해져 있을 것입니다. 부처님! 소녀에게도 자비를 베풀어 인연을 맺게 해 주세요.

여인은 그 동안의 설움이 복받쳐 오는지 울음을 터뜨리고 말았다. 잠시 정신을 차리고 두 손을 모아 간절히 청하였다.

"부처님, 다시 한 번 청하옵니다. 소녀의 신세를 불쌍히 여겨 자비를 베풀어 주세요. 나무아미타불 관세음보살!"

아리따운 여인의 절규를 지켜보던 양생은 더 이상 참지 못하고 모습을 드러내었다.

"여보시오, 무슨 기막힌 사연이 있길래 그렇게 서럽게 울고 있소? 내 비록 가진 것은 변변치 않지만 도움이 되고자 하니 무슨 연고인지 말해 주시오."

갑자기 나타난 양생을 본 여인은 좀 놀라는 기색이었으나, 곧 안정을

되찾는 듯싶었다.

양생은 여인에게 양해를 구하고 조금 전에 불상 앞에 펼쳐 놓은 글을 읽어 보았다. 글을 읽어 내려가는 양생의 얼굴은 점점 홍조를 띠기 시작했다.

"이제 부처님께서 저의 소원을 들어주시는가 봅니다. 아가씨! 나도 연분을 찾고 있던 터요."

양생은 여인과 좀더 이야기를 나누고 싶었다. 그는 절 한쪽에 있는 자신의 거처로 여인을 안내했다. 여인은 좀 머뭇거리는 듯싶었으나, 이내 그를 따라나섰다. 누추한 양생의 방으로 들어선 그들은 불상 앞에서 있었던 일을 얘기하며, 서로가 천생연분임을 마음속에 새겼다.

이 때 문밖에서 발자국 소리가 들려왔다.

"밖에 누가 왔느냐?"

"옥란이입니다. 아씨가 여기 계신 줄도 모르고 여기저기 찾으러 다녔습니다. 어쩐 일로 여기까지 오셨습니까?"

여인은 시녀에게 미안한 마음이 들었던지 그간의 일을 대강 들려주었다. 시녀는 그제야 조금 마음이 놓이는지 양생의 얼굴을 살펴보았다.

여인이 시녀에게 명하였다.

"애야, 내가 오늘 귀한 분을 만나 훌륭한 인연을 맺었으니, 이 날을 기념하고 싶구나. 얼른 가서 다과상을 내오도록 해라."

휘영청 밝은 달 아래 돗자리를 펴고 술상이 차려졌다. 사경(새벽 1시에서 3시 사이)이 다 된 시간이었다. 잘 차려진 다과상을 본 양생은 소스라치게 놀랐다.

'아니, 저 그릇과 음식은 이승의 것이 아닌 것 같구나. 혹시 저들은……?'

양생은 두려운 생각에 치를 떨었으나, 이내 생각을 고쳐먹었다.

'저렇게 단아하고 어여쁜 규수가 설마 귀신일 리가…… 내가 잠시 술이 취해 딴생각을 했나 보군.'

여인은 이런 양생의 마음을 아는지 모르는지 양생에게 음식을 더 들기를 간청했다.

"선비님, 서로 술잔만 권커니 잣거니 하니 흥이 나질 않습니다. 시를 지어 서로 화답해 보는 것이 어떻겠습니까?"

"좋소. 내가 먼저 하겠소."

이른 봄 쌀쌀함에 명주저고리 나부끼고
슬프다, 향롯불은 몇 번이나 꺼졌던고.
덧없는 세월에 마음 둘 곳이 없네.
하염없는 슬픈 눈물 누가 위로해 주나.
봄바람이 오늘 밤 기쁜 소식 들려 주네.
금루곡 노랫가락을 술잔에 담아
한 맺힌 옛 일을 서러워하는구나.

양생의 시가 끝나자 여인의 눈에서 눈물이 하염없이 흘러내렸다.

"선비님, 저는 앞으로 선비님만을 믿고 따르겠습니다. 저와 함께 계시겠다고 약속해 주세요."

"물론이오. 우리는 비록 양가 부모님을 모시고 혼례를 올리지는 않았지만, 서로가 하늘이 정해 준 천생연분임을 마음속 깊이 새기고 있지 않소?"

뎅 뎅 뎅…… 어느덧 만복사의 종소리와 함께 새벽이 오고 있었다.

여인은 서둘러 시녀에게 다과상을 치우게 하고, 양생에게 청하였다.

"선비님, 저와 함께 가실 데가 있습니다. 저를 따라오세요."

양생과 여인은 마을 쪽으로 걸음을 재촉했다. 날이 점점 밝아 오자, 동네 사람들도 하나둘씩 논밭으로 나오고 있었다.

"어이, 어디를 그렇게 바삐 가나?"

"어르신, 밤새 안녕히 주무셨습니까? 급히 가 볼 곳이 있어서요."

이 때 그의 머리를 스치는 생각이 있었다.

'나와 같이 걸어가는 여인은 보이지 않는단 말인가? 총각인 내가 여염집 규수와 나란히 길을 가는데, 어째서 사람들이 관심을 갖지 않을까? 이상한 일이군.'

보련사의 화려한 행렬

앞장을 선 여인을 따라 무작정 길을 가던 양생은 정신을 차리고 주변을 둘러보았다. 나무와 풀은 자랄 만큼 다 자라 숲을 이루었고, 길은 사람이 지나간 흔적이라곤 보이지 않았다. 또, 여인의 발걸음은 발이 땅에 닿지 않는 듯이 매우 빨랐다. 순간 오싹한 느낌이 들었다.

"아가씨, 어디를 가는 게요? 궁금하니 말 좀 해 주시오."

"선비님, 이제 다 와 갑니다. 제가 가려는 곳은 저의 부모님께서 마련해 주신 집입니다."

여인은 양생의 기분을 눈치 채기라도 한 듯 잠시 걸음을 멈추고, 다소곳이 말했다.

더불어 시 한 수를 읊었다.

　이슬 내리는 오솔길을
　어둠이 내리기 전에 가고 싶지만
　길가에 가득한 이슬 때문에

내 소원을 이루지 못하는구나.

자신의 마음을 안정시켜 주려고 애쓰는 여인을 본 양생은 금세 마음
이 풀리는 듯했다. 그도 아가씨를 위해 시 한 수를 읊어 주었다.

여우 한 마리 다리 위를 건너는데
길은 어디론가 통해 있어
어여쁜 아가씨 넋을 잃고 걸어가네.

화답한 시를 듣고 난 여인은 소리없이 웃었다.
그들은 서로의 마음을 다시 한 번 확인하였다. 이윽고 여인의 집에
도착하였는데 마을 이름이 개녕동이라는 여인의 설명을 듣고, 집 안으
로 들어섰다. 방과 마루에는 먼지 하나 없고, 모든 물건이 잘 정돈되어
있었다.
여인은 곧 주안상을 차려 먼 길에 지친 양생의 몸과 마음을 달래 주
었다. 술과 음식은 만복사에서 맛보았던 것과 똑같았다.
어느덧 함께한 시간이 사흘이 흘렀다. 여인은 무언가 할 말이 있는
듯 머뭇거렸다.
"선비님과 지낸 3일은 인간 세상에서는 3년이라 합니다. 그리고……."
양생은 그제서야 정신이 번쩍 들며 자신이 귀신에게 홀린 것이 분명
하다고 생각했다.
'그래, 술상의 그릇과 음식의 향기, 숲 속을 지날 때의 발걸음 등 무
언가 석연치 않았어.'
여인은 말을 이어 갔다.
"이제는 선비님과 헤어져야 할 시간이 되었습니다. 꿈 같은 시간들은

제 마음속에 깊이깊이 새겨 두겠습니다."

양생은 여인이 이승 사람이 아님을 알고 섬뜩한 기분이 들었던 것도 사실이지만, 헤어져야 한다는 여인의 말에 가슴이 시려 왔다. 양생은 여인을 붙잡고 가지 말라고 애원하고 싶었다.

"선비님, 이렇게 헤어지는 것이 너무 서러우니 저와 친분이 있는 네 처자들과 시를 화답해 봄이 어떨까요?"

"제 마음도 편치 않습니다. 사내대장부가 아녀자 앞에서 눈물을 보이면 안 되겠기에 애써 참고 있습니다. 우리 서로 시로써 울적한 마음을 달래 보기로 합시다."

여인은 시녀 옥란이를 불러 네 여인에게 기별을 하라고 명했다. 잠시 후, 네 여인이 방으로 들어섰다. 정씨, 김씨, 오씨, 유씨라는 성을 가진 그들 모두 인물이 빼어났다.

양생과 간단히 통성명을 하고 난 뒤 잠시 시에 관한 이야기를 나누었다. 첫눈에도 성격이 대범하고 적극적으로 보이는 정씨가 먼저 시를 읊었다.

> 흐드러진 봄밤에 달빛은 저리 고운데
> 내 시름은 끝이 없구나.
> 이 몸이 죽어 비익조(전설의 새) 되면
> 맑은 하늘에 님과 함께 날아 보리.

이어서 오씨가 받아 운을 띄워 시를 지었다.

> 절에 불공 드리고 돌아가던 밤
> 저고리 품에 저포, 그 사연 뉘가 알리.

휘영청 밝은 달 아래 끝없는 쓸쓸함을
님과 나눈 한잔 술로 달래 보네.

친구들의 시를 잠자코 듣고 있던 김씨의 표정은 점점 어두워 갔다. 김씨는 조금 주저하는 듯했으나 말문을 열었다.
"여러분, 내가 한 마디 하겠으니 오해 말고 들어 주시오. 여염집 규수들이 어찌하여 자신의 속내를 털어놓고 한탄하는 게요? 이 자리는 분위기를 띄우기 위해 마련된 것이오."
그리고는 다시 한 수를 읊었다.

깊은 밤 소쩍새 슬피 울 때
북두칠성 기울어져 은하수는 희미하네.
애간장을 녹이는 피리 소리에 마음을 빼앗기니
이 광경을 사람들이 볼까 두렵구나.

반듯한 김씨의 심성을 잘 드러낸 시구라고 양생은 생각하였다.
이제 친구들의 시를 듣기만 하던 유씨의 차례가 되었다.

금처럼 굳은 정조 지켜온 지 여러 해
아리따운 고운 자태 간 곳이 없고
꽃 피는 봄밤에 선녀들과 더불어
계수나무 그늘 아래 잠에 취하네.

옆에서 친구들의 아름다운 시구절을 듣고 있던 여인도 흥이 났는지 한 마디 거들었다.

"훌륭한 시를 들으니 마음이 흡족하고 시름이 물러가는 듯싶습니다. 이런 좋은 자리를 빛내 준 여러분께 보답하는 마음으로 저도 한 수 거들고 싶습니다. 미흡하더라도 들어 주십시오."

개녕동 깊고 깊은 골짜기
철 따라 근심은 더욱 쌓이네.
머나먼 땅에 님을 잃고
대밭 속에 눈물이 고였네……

여인은 시를 마저 읊지 못하고 눈물을 주르르 흘렸다. 양생과 네 여인들도 얼굴을 돌려 눈물을 닦았다. 양생은 이별의 시간이 점점 다가오자 마음이 찢어지는 듯 아팠다.

"여보시오. 아가씨와 네 분의 시는 정말 감동적이었소. 무릇 시란 자신의 감정을 솔직히 담아 내는 것이 제일이라 들었소. 좋은 자리 마련해 주시고, 훌륭한 시도 들려 주시니 몸 둘 바를 모르겠소. 저도 여러 규수님들을 위해 한 수 지어 올리겠습니다."

화창한 봄날
원앙새는 서로 짝을 짓고
우리도 부부의 연을 맺어
한평생 잘 살아 보세.

양생의 화답이 끝나자 네 여인은 인사를 하고 홀연히 자리를 떠났다. 양생과 둘이 남게 된 여인은 무엇을 생각하는지 말이 없었다.

"선비님, 이제는 정말 헤어져야 할 시간인 것 같습니다. 조금이라도 더 곁에 있고 싶지만 약속된 시간이 다 됐습니다."

여인은 잠시 기다리라는 말과 함께 밖으로 나갔다. 곧 돌아온 여인의 손에는 은 술잔이 들려 있었다.

"이것은 제가 선비님께 드리는 마지막 선물입니다. 보잘것없지만 소녀의 정성과 정표로 여기고 소중히 간직해 주십시오."

여인은 술잔을 양생에게 건네면서 한 가지 당부의 말을 했다.

"제 부모님께서 내일 보련사에서 저의 명복을 빌며 재를 올리실 것입니다. 재가 올려지기 전에 선비님께서는 절 입구에서 저를 기다리셨다가 함께 동행했으면 합니다. 제 간절한 소망입니다. 저를 버리지 말아 주세요."

"걱정하지 마시오. 아가씨가 시키는 대로 하겠습니다. 마음을 편히 가지세요."

여인은 이내 안심이 되는지 고개를 끄덕거렸다.

다음 날 날이 밝자 양생은 서둘러 보련사를 향해 떠났다. 보련사 입구에서 여인이 나타나기를 기다리고 있었다. 그는 옷소매에 간직해 둔 은 술잔을 꺼내 들었다. 어젯밤의 일이 양생의 머릿속에 물밀듯이 밀려왔다. 아직 여인의 향기가 술잔에 남아 있는 듯했다.

길가에는 명문대가의 행렬인지 음식과 물건을 가득 실은 행렬이 보련사로 이어지고 있었다. 양생은 술잔을 들고 여인을 기다리면서 그 행렬을 무심히 바라보고 있었다.

대갓집의 대열을 따르던 한 하인의 눈길이 양생의 은 술잔에 머물렀다. 하인은 얼굴이 하얗게 질려 앞으로 내달았다. 양생은 이제나저제나 여인이 오기만을 고대하고 있었다.

"대감님, 대감님! 큰일났습니다."

"무엇이 이리 소란스럽냐? 오늘은 제사를 지내러 가는 날인데, 웬 호들갑이냐?"

"글쎄, 소인이 수레를 몰고 가는데 웬 선비가 상심한 얼굴로 길에 우두커니 서 있는 걸 보았습니다. 그 선비의 손에는 아가씨가 평소 아끼던 은 술잔이 들려 있지 뭡니까?"

"뭐라고? 그게 정말이냐? 그 은 술잔이라면 내 딸아이 장례식 때 함께 묻어 주었던 것이거늘…… 그 선비인지 도둑놈인지는 대체 어디 있단 말이냐?"

하인은 주인마님을 양생에게 안내했다.

'보아하니 도적놈 같지는 않은데…… 무슨 사연이 있는 게 틀림없어.'

주인 영감은 양생에게 다가가 공손히 물었다.

"여보시오. 초면에 실례가 많습니다. 손에 들고 계신 은 술잔은 내 딸이 아끼던 것으로 그 애의 장례식 때 함께 넣어 두었던 것인데 어찌 가지고 계십니까?"

지체 높은 양반으로 보이는 어른의 이야기를 듣고 난 양생은 짐작이 가는 것이 있었지만 조금 당황스러웠다. 그는 이내 마음을 가라앉히고 그 어른께 여인과 함께한 그간의 일을 상세히 말씀드렸다.

만복사에서의 첫 만남, 외딴집으로의 초대, 술잔을 소유하게 된 일과 오늘 보련사 입구에서 만나기로 한 사연 등을 듣고 난 어른은 눈물을 하염없이 흘렸다.

"젊은이, 우선 고맙다는 인사부터 드리고 싶소. 나는 자손이 없이 쓸쓸히 지내다가 늦은 나이에 겨우 딸아이 하나를 얻었소. 어려서부터 품행이 단정하고 글과 시에 능하였다오. 그것이 어느덧 자라 시집갈 나이가 되었지만 귀하게 얻은 딸을 아무에게나 짝 지어 주고 싶지 않았다오. 그래 여기저기 혼처를 알아보던 차에 그만 왜구가 쳐들어왔소. 그놈들은 사람을 닥치는 대로 죽였고, 내 딸아이는 정절을 지키려다 그만 목숨을 잃고 말았다오. 그 때는 마을 전체가 난리 법석이라서 장례식도 치르지 못하고 개녕동 근처 야산에 대강 묻어 주었소. 왜구가 잠잠해지고 난 뒤 내 딸아이가 묻혀 있는 무덤을 찾아나섰지만 도무지 어디가 어딘지 알 수가 없었소. 부모의 마음이야 다 그렇겠지만 금지옥엽 키운 딸의 무덤도 찾지 못하다니…… 난 하루도 마음 편할 날이 없었다오. 그래 이렇게 절을 찾아 그 애의 명복을 빌곤 한다오. 또 마침 오늘이 내 딸아이의 제삿날이기도 하고……."

여인의 아버지는 지난 일이 되살아난 듯 가슴을 쓸어내리고 다시 말을 이었다.

"젊은이, 못난 애비의 부탁 하나 들어 주실 수 있겠소?"

"어르신, 주저하지 마시고 말씀하세요."

"어렵고 힘든 일이지만, 내 딸아이와의 그간의 쌓은 정을 생각해서 마지막으로 그 애가 원하는 대로 해 주시오. 내 그 보답은 후하게 해 드리겠소."

"별 말씀을 다 하십니다. 비록 아가씨가 이승의 사람은 아닐지언정 저희들은 백년 가약을 맺은 사이옵니다. 응당 부모님을 모셔야 할 자리이지만 그리 못한 것이 다만 죄송스러울 따름입니다. 아무 염려 마십시오."

"저승에 가서나마 이렇게 훌륭한 선비를 만나 인연을 맺었으니 부모 된 입장에서 뭐라 감사의 말을 해야 할지……."

여인의 아버지는 말을 잇지 못하고 양생의 손만 꼭 쥐었다.

양생은 여인의 부모님과 일행을 보련사로 먼저 보내고 혼자 여인이 나타나기를 기다렸다.

여인과의 이별

많은 일을 겪고 난 양생은 잠시 머릿속이 혼란스러웠다. 하지만 이왕 여기까지 왔으니 여인에게 잘해 주고 싶었다. 저 멀리서 시녀 옥란의 모습이 보였고, 곧이어 여인이 모습을 드러내었다. 양생은 조금 전의 시름이 다 가시는 듯했다. 양생은 여인이 다가오기를 기다리지 못하고 이내 뛰어가 여인의 손을 덥석 잡았다. 비록 한나절밖에 안 지났지만 여인도 그가 몹시 보고 싶었던지 기뻐하는 빛이 역력했다.

양생은 여인의 부모님을 만난 일을 들려 주며 보련사 돌계단을 나란히 올라갔다.

절 안에 계신 부모님을 뵌 여인은 다소곳이 큰절을 올리고 그 옆을 지나 드리워진 발 안으로 들어갔다.

"여보게, 어찌 내 딸아이는 보이지 않는가?"

어르신은 혼자 우두커니 서 있는 양생을 발견하고 물었다.

"함께 와서 지금 어르신께 큰절을 올렸습니다만……."

"그런가? 하긴 이 세상 사람이 아니니 내 눈에 보일 리가 없겠지…… 에그, 불쌍한 것 같으니."

양생은 궁금해하는 가족들과 스님들을 위해 간단히 상황을 이야기해 주었다.

부모님은 딸의 명복을 빌며 제삿상을 잘 차려 놓았다. 여인은 부모님의 정성을 생각해서인지 그에게 식사를 함께할 것을 권했다.

양생은 여인의 말을 어르신께 전해 드리고 어떻게 해야 할지 물었다.

"같이 어서 들게나. 먼 길 오느라 시장했을 터이니……."

그들은 서로 이야기를 정겹게 나누며 숟가락을 들었다. 옆에서 지켜보는 사람들은 그 모습이 괴상해 보였다. 양생의 앞에는 사람은 보이지 않고 수저와 젓가락만이 춤을 추듯 움직이고 있었다.

여인의 부모님은 딸아이가 보이지는 않지만 그 자리에 함께 있음을 다시 한 번 확인할 수 있었다. 벅차오르는 감정을 억누를 길이 없었지만, 행여 딸아이의 기분을 상하게 할까 숨죽여 지켜보고만 있었다.

식사를 다 마친 후, 여인은 양생에게 넌지시 말을 전했다.

"선비님, 저의 부모님께서 저렇듯 흡족하게 바라보시니 저도 한결 마음이 놓입니다. 자식의 도리를 다하지 못해 항상 마음에 걸렸습니다. 바라건대 오늘 밤 저와 함께 신방을 꾸며 부모님을 안심시켜 드리고 싶습니다만 어떠실는지요?"

"우리는 얼마 전에 부부의 인연을 맺은 사이입니다. 뭐 어려울 것이 있겠소? 나도 아가씨와 헤어지려니 서럽기 그지없소. 오늘 밤이 새도록 정다운 이야기를 나눕시다."

양생은 이제 두려운 마음은 가시고 조금이라도 여인과 시간을 같이하고 싶었다.

그는 여인과 나눈 이야기를 대강이나마 부모님께 말씀드리고 허락을 구했다.

"젊은이, 아니 사위님, 허락하고 말고가 어디 있겠소? 부모 된 마음이야 죽어서라도 처녀 귀신을 면하게 되니 뭐라 감사의 말을 해야 할지…… 정말 몸 둘 바를 모르겠소……"

곧 절 한켠에 신방이 꾸며졌다. 양생은 여인을 그리로 안내해 방으로 들어갔다.

"서방님…… 부모님의 허락을 받고 이렇게 신방에 드니 저는 더 이상 바랄 것이 없습니다. 서방님도 대충 짐작은 하셨을 줄로 압니다만, 저는 이 세상 사람이 아닙니다. 양반집의 무남독녀 외딸로 태어나 귀하게 자랐습니다. 학문에도 취미가 있어 사서삼경 등 웬만한 글은 다

읽었습니다. 제 꿈도 여느 규수들처럼 덕망 있는 댁 자제와 연을 맺어 아들딸 낳아 잘 사는 것이었습니다. 그런데 타고난 팔자가 기구했는지 억울하게 왜놈의 손에 죽고 말았습니다. 게다가 제대로 된 무덤도 없이 깊은 산골짜기 한적한 곳에 묻혔으니 억울하고 슬픈 마음은 이루 다 말할 수 없습니다……."

여인은 설움이 복받치는지 잠시 말을 끊고 흐느꼈다.

"한이 많아 저승에도 가지 못하고 구천을 떠돌아다니다가 부처님께 제 소망이나 빌어 보고자 만복사에 들렀습니다. 가련한 제 인생을 불쌍히 여겨 은혜로우신 부처님께서 서방님과 좋은 인연을 맺게 해 주셨습니다. 서방님과 지낸 시간들은 제게는 꿈처럼 행복했습니다. 사람들이 말하기를 인연이란 삼세(전생 · 현세 · 내세)를 통해 있다고 합니다. 서방님과의 만남은 우연이 아닌 듯싶습니다."

신방 밖에는 여인의 부모와 사람들이 궁금한 듯 지키고 있었다. 하지만 가끔 젊은이의 가느다란 소리만이 흘러나올 뿐 아무 소리도 들리지 않았다. 밤이 깊어 가자 여인의 부모와 친지들은 흩어져 각자의 처소로 돌아갔다.

"서방님, 이제 저는 제 갈 길로 가야 합니다. 저는 이미 이 세상 사람이 아니니 저승으로 갑니다. 이승에서 제가 이루고자 했던 일을 조금이나마 풀고 가니 마음이 한결 가볍습니다. 다만 서방님과의 이별을 생각하니 다시 눈물이 앞을 가립니다. 이제 새벽에 닭 우는 소리가 들리면 서방님과도 마지막입니다. 서방님, 제 부모님께도 안부 전해 주십시오."

여인은 양생과의 이별이 못내 아쉬운 듯 흐르는 눈물을 거두지 못했다.

꼬끼오, 꼬끼오——

여인은 닭 우는 소리에 화들짝 놀라는 기색이더니 서둘러 일어섰다.

양생도 무척이나 섭섭했으나 갈 길이 정해진 사람을 마냥 붙잡고만 있을 순 없었다.

"부인, 부디 잘 가시오. 우리 저승에서 다시 만나 잘 살아 봅시다. 내 부인을 잊지 않으리다."

여인은 뒤를 돌아보며 급히 방을 빠져 나갔다. 여인의 모습이 보이지 않자 양생은 그제서야 방바닥에 털썩 주저앉았다. 갑자기 온몸에서 기운이 빠져 나가는 것 같았다.

여인의 부모도 잠깐 선잠이 들었다가 무슨 이상한 기운을 느꼈던지 급히 딸아이의 신방을 찾았다. 아니나다를까 젊은이가 혼이 빠진 듯 멀거니 앉아 있있다.

"여보게, 사위님. 정신 좀 차리게. 내 딸아이와 무슨 일이 있었나? 말 좀 해 보게."

그제서야 양생도 정신이 드는지 울음을 터뜨렸다. 그 동안 참았던 설움이 복받치는 듯했다.

어르신은 더 이상 묻지 않고 양생이 실컷 울도록 내버려 두었다.

"내 자네가 말하지 않아도 알겠네. 이제 내 딸아이도 저세상으로 갔나 보군. 고맙네. 모두가 자네 덕분이야. 이 은혜를 무엇으로 보답하나. 내 자네가 평생 먹고 살 땅과 재산을 줌세. 이제 지나간 일은 모두 잊고 좋은 아가씨를 만나 백년해로하게. 정말 고맙네."

여인의 아버지는 양생을 위로하며 등을 토닥였다.

날이 밝자, 양생은 여인과 3일을 지낸 개녕동의 집을 찾아 나섰다. 기억을 되살리며 찾아간 곳에는, 집은 보이지 않고 잡초가 무성한 초라한 무덤이 하나 있었다.

'아니, 이 곳은 분명 여인의 집이 있던 자리였는데······ 그럼 이 무덤이 여인의 것이란 말인가?'

보잘것없는 묘를 보니 양생의 가슴은 더욱더 메어 왔다. 양생은 여인을 위해 준비해 온 음식을 묘지 위에 펼쳐 놓았다. 그리고 품 안에서 정성스럽게 준비한 지전(저승길 여비로 쓰라고 관 등에 넣어 주는 돈)을 태웠다. 이어 명복을 비는 글을 지어 올렸다.

아아! 보고 싶은 내 여인, 당신은 타고난 성품이 인자하여 많은 사람들로부터 칭찬을 받았소. 크게는 인물이 중국의 미인 서씨에 비교되고, 글짓는 재주는 중국의 여류 시인 숙진과 대등하였소. 여자가 지녀야 할 덕을 고루 갖추고 부모님께도 순종하였소. 그런데 뜻하지 않은 난리통에 끝내 순결을 지키려고 저항하다가 결국 왜구의 칼에 죽고 말았소.

이런 외딴 곳에 홀로 묻혀 얼마나 시름이 컸겠소. 꽃 피고 새 우는 밤이면 얼마나 쓸쓸했겠소. 이런 당신의 신세를 부처님이 가엾게 여겨 나와의 만남이 이루어졌소. 하지만 꿈 같던 며칠도 잠깐, 이렇게 헤어지니 당신이 오히려 원망스럽소. 이승과 저승이 천릿길이니 앞으로 어떻게 당신을 본단 말이오. 우리가 다시 만날 날을 알 수 없으니 내 가슴은 찢어지오.

양생은 무덤가를 지키면서 혹시 여인이 모습을 드러낼까 기다렸지만 오지 않았다. 슬픈 마음에 지쳐 쓰러져 잠이 든 그는 동이 튼 뒤에야 집으로 향했다.

무덤과 절을 오가며 여인을 그리는 양생의 모습은 초췌하기 그지없었다. 잠 못 드는 밤이 대부분이었고, 얼핏 잠이 들면 여인을 만났다가 헤어지는 꿈을 꾸었다.

"부인, 부인, 가지 마시오. 가려거든 나도 데려가시오."

헛소리에 놀라 깨어 보니 식은땀이 등줄기를 타고 흘러내렸다. 지성이면 감천이라던가, 아니면 양생의 애타는 소리가 여인의 귀에도 들렸던가, 며칠 후 여인이 모습을 드러내었다.

"서방님…… 어찌 몰골이 그리 흉하게 되셨습니까? 저는 서방님의 사랑과 은혜로 먼 나라의 훌륭한 가문의 남자로 환생했습니다. 하지만 어찌 서방님과의 애끊는 정을 잊을 수 있겠습니까? 부디 다음 세상에서 다시 만나 못다한 연을 맺을 수 있기를 기다리며 선행을 닦으십시오. 몸 건강히 지내십시오."

양생은 여인이 없는 세상이 무의미하게 느껴졌는지 세상을 등지고 지리산 깊은 곳으로 들어가 버렸다. 그 후로 그에 대해 아는 사람은 아무도 없었다.

이생규장전

담 위의 복사꽃

용모가 단정한 한 도령이 책을 읽으면서 다리 위를 지나고 있었다. 그는 개성의 낙타교 근처에 살고 있는 이생이라는 젊은이였다. 나이는 열여덟 살로 학문에 뜻을 두어 글 읽기를 게을리하지 않았다. 그가 지나가는 것을 보면 사람들은 입에 침이 마르게 칭찬을 했다.

"여보게, 저기 이 도령이 지나가네. 어찌 저리 잘생겼을까? 게다가 글공부에 흠뻑 빠진 것하며 무엇 하나 나무랄 데가 없군 그래."

"아들을 낳으려면 저 정도는 돼야지. 참, 선죽리의 최 대감 댁 규수도 만만치 않지? 글재주와 반반한 인물, 어디 나무랄 데가 있어야지."

"맞아, 맞아."

이 도령은 화창한 날씨를 코끝으로 느끼며 서당을 향해 발길을 돌렸다. 부지런히 앞을 보고 가던 그는 수양버들이 춤추는 곳에서 발길을 멈추었다. 봄바람이 도령의 마음에도 불고 있었던지 그는 최 대감 집 담장을 기웃거렸다.

'그래, 이 집이 아름답고 글 잘하기로 소문난 최 규수의 집이로군.'

이 도령은 길가에 놓여 있는 돌을 주워다가 쌓아 놓고 까치발을 들어 담장 안을 들여다보았다. 담장 안은 자세히 보이지 않았지만, 만발한 꽃과 날아든 나비들로 여유로워 보였다. 그는 이리저리 머리를 돌리며 최 규수를 찾고 있었다.

날이 화창한지라 아가씨의 마음도 흥분되고 설레었다. 아가씨는 문을 열고 마당을 지나 누각에 자리를 잡았다. 최 규수는 그 곳의 풍경을 천천히 둘러보며 시 한 수를 읊었다.

　　홀로 앉아 수놓기에 여념이 없는데
　　만발한 꽃 속에 꾀꼬리 다정하구나.
　　봄바람 불어옴을 괜히 원망하며
　　조용히 바늘을 멈추고 시름에 젖네.

　　어느 집 고운 님인가
　　초록빛 긴 저고리로 버들가지 흔드네.
　　이 몸이 하늘을 나는 새가 되면
　　담장을 넘어가 님을 만나리.

　최 규수는 담장 밖의 이 도령을 보기라도 한 듯 시를 지었고, 이 시를 들은 이 도령은 마음이 끓어올랐다. 당장 서로 만나 마음을 확인하고 싶었다. 하지만 글을 읽는 선비로서 남의 집 담장 안을 기웃거리는 것도 마땅치 않은데, 양반집 처자를 만난다는 것은 가당치 않은 일이었다.

　이 도령은 설레는 마음을 가라앉히고, 최 규수 댁을 지나 서당으로 발길을 돌렸다. 글방에서 글을 읽는 둥 마는 둥, 도령의 머릿속은 온통 아가씨 생각뿐이었다.

　'아, 내가 왜 이럴까? 아가씨의 얼굴 한번 못 보고, 단지 시 한 수만 들었을 뿐인데, 왜 이리 보고 싶은 걸까?'

　서당 문을 나와 집으로 돌아가던 그는, 자기도 모르게 어느 새 최 규수 댁 담 밑에 서 있는 자신을 발견하고 소스라치게 놀랐다. 이생은 이러면 안 된다고 생각했지만, 한편으로는 자기의 심정을 담은 시를 아가씨에게 전해 주어야겠다고 결심했다.

집으로 부리나케 달려간 이생은 곧 시 세 편을 적었다.

첩첩이 싸인 산봉우리에 걸친 안개
나의 애끓는 마음 같구나.
님의 외로운 꿈, 번거롭게 하지 말자.
차라리 구름과 비 되어
그대의 누각 위에 흩뿌릴까.

사마상여(중국 한나라의 시인)가
탁문군(한나라 때의 이름난 미인)
꾀어 낸 것처럼 마음은 벌써 깊어졌네.
담 위에 활짝 핀 저 복사꽃은
바람결에 흩어져서 어디로 가나.

훗날 어떤 인연이 되려는지
하루하루 지나감이 마치 일 년 같구나.
내 시름을 적어 보내니
곧 님을 만나 볼 수 있을까 하네.

이 도령은 시를 다시 한 번 읽어 본 후에, 아가씨의 집으로 달려갔다.
이 편지를 전해 주는 일만 남았으나 도무지 방법이 떠오르지 않았다.
  '어떻게 이걸 전해 준담? 그래! 종이에 돌멩이를 매달아 담장 안으로
던지면 되겠구나.'
  이생은 곧 적당한 돌을 찾아 시가 적힌 종이를 살짝 묶었다. 그리고
는 담 위로 잽싸게 던져 넣었다.

"탁, 떼구르르……."

규수가 거처하는 곳이라 사방이 워낙 고요해 웬만한 사람이라면 돌 떨어지는 소리를 금방 알아차릴 수 있었다. 아니나 다를까 시녀로 보이는 아이가 무언가 궁금해하며 돌뭉치를 집어 들었다.

"어머, 웬 편지가 묶여 있네! 아씨, 아씨!"

심부름하는 아이는 얼른 방으로 들어가 최 규수에게 종이를 건넸다. 수를 놓고 있던 아가씨는 마침 무료하던 차라 시녀가 건네주는 편지를 펼쳐 들었다. 시를 다 읽은 아가씨의 손이 바르르 떨렸다.

'어머, 이 편지는 문장에 능하다고 마을에서도 소문이 자자한 이 도련님이 쓴 게 아냐?'

최 규수는 시녀를 시켜 붓과 종이를 가져오게 한 뒤 답장을 썼다.

저도 도련님을 뵙고 싶습니다. 해질 무렵 다시 저의 집 담장 밑으로 오십시오.

시녀가 담 밑으로 던져 준 종이 쪽지를 받아 든 이생은 날아갈 듯이 기뻤다. 규수의 마음이 같음을 확인하니 더 이상 바랄 것이 없었다. 땅거미가 짙게 깔리고, 온 마을이 고요해지자 이생은 집을 빠져 나와 서둘러 걸음을 재촉했다. 그 날 따라 황혼녘이 무척이나 아름다워 보였다.

최 대감 집에 당도한 이생은 담 밑에서 헛기침을 몇 번 했다. 담장 안에서 벌써부터 대기하고 있던 시녀는 밧줄 하나를 내려 보냈다.

이생은 그것이 마치 하늘에서 내려온 동아줄인 양 잽싸게 거머쥐고 담을 뛰어넘었다.

담 안으로 들어온 그는 사방을 둘러보았다. 잘 가꾸어진 정원은 어스름 달빛을 받아 오색찬란하게 빛나고 있었다. 선녀들이 산다는 월궁에 잠시 놀러 온 것 같았다. 이생은 정원의 풍취에 잠시 정신을 잃은 듯했으나 곧 두리번거리며 최 규수를 불렀다.

"여보시오, 여보시오, 여기 아무도 없소?"

혹시 남이 들을세라 나지막이 불러 보았다.

방 안에서 초조한 마음으로 기다리고 있던 최 규수는 이생이 부르는 소리를 듣고 얼른 밖으로 나왔다. 말로만 듣던 최 규수는 정말 하늘나라에서 방금 인간 세계로 내려온 선녀 같았다. 미소 짓는 아가씨의 모습을 본 순간 이생은 심장이 멎는 듯했다.

최 규수는 시 한 수를 지어 첫 인사를 대신했다.

복숭아꽃 흐드러지게 피어 있고
원앙 베개 위로 달빛이 물들었네.

이 도령도 이어 한 수를 읊었다.

님을 향한 그리움이 퍼져 나가면
거센 바람 불까 무섭구나.

시를 듣고 난 최 규수의 양미간이 일그러져 표정이 밝지 못했다.

"서운합니다. 저는 규수의 몸으로 외간 남자와 얼굴을 드러내 놓고 대면하고 있는데…… 도련님은 무얼 그렇게 두려워하십니까? 제 마음은 이미 정해졌습니다. 더 이상 두려울 것도 겁날 것도 없습니다. 만약 부모님께서 도련님과의 비밀스런 만남을 아신다고 해도 모든 일은 제가 알아서 할 터이니 걱정 마십시오."

당찬 당부의 말을 마친 최 규수는 시녀에게 다과상을 내오라고 명했다. 그들은 자리를 옮겨 정자 위로 올라갔다.

"아가씨, 여기는 어떤 곳인가요?"

"이 곳은 제 부모님께서 소녀를 위해 특별히 마련해 주신 아담한 정자입니다. 여기에 여러 가지 꽃과 아름드리 나무를 심으시고 예쁜 연못도 만들어 주셨습니다. 어려서부터 자연과 벗을 삼아 심성을 곱게 가지라는 부모님의 뜻이지요. 이 곳에 나와 꽃향기와 나비, 벌레들과 놀고 있으면 시간 가는 줄 모른답니다. 아버님과 어머님께서 거처하시는 곳은 여기서 멀기 때문에 안심하셔도 됩니다."

최 규수는 이생의 불안한 마음을 짐작했는지 한 마디 덧붙여 부모님의 거처도 알려 주었다. 이 도령도 아가씨의 침착한 태도와 마음 씀씀이에 더 이상 두려움을 갖지 않았다.

시녀가 차려 온 술상을 마주 놓고 앉은 후, 아가씨는 이생에게 술 한 잔을 건넸다.

최 규수는 이생이 술과 음식을 먹는 동안 시 한 수를 지었다.

> 정자에서 바라본 연못과 꽃 속엔
> 님의 얼굴 아른거리네.
> 봄빛에 안개는 향기로운데
> 새 노래 지어 즐거움을 나누세.
> 꽃에 달빛이 스미니 자리를 편 듯하고
> 가지 잡으니 빨간 꽃비가 오네.
> 향기로운 바람은 옷깃을 스치는데
> 봄을 맞아 여인은 춤을 추네.
> 옷깃이 해당화를 스쳤다가
> 애꿎은 앵무새만 깨웠네.

잠자코 듣고 있던 이생의 얼굴은 술기운인지 부끄러움 때문인지 빨갛게 달아올랐다. 그도 아가씨의 시에 화답해서 한 수 읊었다.

발길이 머무는 곳 무릉도원이라
애끓는 심정 무엇으로 대신할까.
비단 머릿결에 금비녀 쪽을 찌고
모시적삼으로 단장하였구나.
봄비에 촉촉이 젖은 예쁜 꽃들
비바람이여 그만 멈추어 다오.
선녀의 소매 하늘에서 나부끼고
어여쁜 여인 계수나무에서 춤을 춘다.
좋은 일과 나쁜 일은 함께하니
새 노래를 앵무새에게 들려 주지 말라.

이 도령의 시가 끝나자 최 규수는 마음속에 품어 두었던 말을 꺼내 놓았다.

"도련님, 시의 구절에는 시인의 마음이 들어 있다고 합니다. 서로의 마음을 확인하였으니, 오늘 밤 부부의 인연을 나누는 것이 어떻겠습니까?"

최 규수의 당돌함에 이생은 조금 당황스러웠다. 이 도령이 머뭇거리는 기색을 보이자 아가씨는 이 순간을 놓치지 않고 자리에서 일어났다. 그리고는 이 도령을 어디론가 안내했다.

정자를 내려와 조금 걸어가니 조그만 사다리가 걸쳐져 있는 다락이 보였다. 이생은 아가씨가 이끄는 대로 사다리를 타고 좁은 통로를 지나 위로 올라갔다. 그들이 다다른 곳은 아담한 글방이었다. 누가 그렸는지 알 수는 없지만 오래 된 듯한 그림은 매우 훌륭해 보였다. 방은 잘 정돈되어 있었고, 시가 적힌 액자도 여러 개 보였다.

이생은 오래 된 그림 옆에 걸려 있는 시구절을 읊어 보았다.

저 수많은 산봉우리를 그린 님은 누굴까
산봉우리에 걸친 구름이 아득하다.
가까이 보니 푸른 바다와 하늘이 닿아 있고
해 저문 하늘 멀리 고향이 보이네.
이 경치는 쓸쓸함을 더하여
강에 돛단배 한 척을 띄운 것 같네.

다른 벽 위에는 계절을 노래한 듯한 시가 있어 속으로 되새기며 읽어내려갔다.

창가에는 매화꽃이 쓸쓸히 피어 있고
세찬 바람에 달빛은 처량하다.
쇠젓가락으로 이리저리 화로를 쑤셔 보고
아이를 시켜 주전자를 올려놓네.

바람결에 나뭇가지 흔들리고
눈보라가 매섭게 흩날릴 때,
님에 대한 끝이 없는 그리움
내 님이 계신 곳은 멀고 먼 싸움터.

창가에 비치는 햇살 따사로워

눈 위로 졸음이 쏟아지네.
꽃병에 꽂은 매화는 반만 피고
누가 알까 베개에 수를 놓네.

북쪽 숲을 스치는 쌀쌀한 서릿발
황량한 하늘가 까마귀 소리
하염없이 흐르는 눈물은
님의 손수건을 다 적시네.

글방 한켠에는 방 하나가 따로 딸려 있었다. 최 규수는 이생을 그 곳으로 안내했다. 방은 먼지 하나 없이 잘 치워져 있었고, 신방처럼 원앙을 수놓은 이부자리가 깔려 있었다.

이생은 최 규수와 그 곳에서 부부의 인연을 맺은 다음 며칠을 더 지냈다.

"아가씨, 우리가 함께한 지도 벌써 여러 날이 지났소. 소식도 전하지 않고 이렇게 나와 있으니 자식 된 도리로 마음이 편치 않소. 이제는 부모님을 뵈러 가야 하겠소. 내 다시 오리다."

"그렇군요, 도련님. 제가 거기까지는 미처 생각을 못 했답니다. 같이 있다 보니 시간이 가는 줄도 몰랐군요. 모두 제 잘못입니다. 어서 집으로 가셔서 부모님을 안심시켜 드리세요."

장원급제

집으로 돌아온 이생은 부모님께 그 동안 별다른 일이 없었음을 말씀드렸다. 부모님은 믿기지 않는다는 표정이었으나, 아들이 무사히 돌아온 것만으로 감사히 여기고 더 이상 묻지 않았다.

이 도령은 그 뒤로도 부모님 몰래 새벽에 나가 최 규수 집을 찾곤 했다.

이생의 아버지는 글공부에만 전념하던 아들이 넋이 나간 듯한 표정을 하고 나다니는 것을 수상히 여겼다. 하루는 사람을 시켜 아들의 뒤를 밟게 했다. 사실을 확인한 아버지는 이생을 호되게 꾸짖었다.

"이놈! 입이 있으면 말 좀 해 보아라. 네가 얼마 전에 여러 날 집을 비운 것을 내 눈감아 주었다. 사내가 무슨 말 못할 사정이 있다고 생각해 다그치지 않고 그냥 넘어가 주었다. 그런데 밤을 낮삼아 어디를 그렇게 쏘다니는 게냐? 내 하도 궁금해 알아보니, 참으로 기가 막힐 노릇이다. 규방의 규수 집 담을 넘어 다닌다고 하니 네가 정신이 있는 게야! 남이 알까 두렵다. 남자 여자는 7세가 되면 자리를 같이 하지 않는다는 말도 모르는 게야?"

이생의 아버지는 분이 풀리지 않는지 다시 한 번 나무랐다.

"이놈! 당분간은 애비 볼 생각 마라. 이 길로 당장 짐을 챙겨 울주(지금의 울산)로 떠나거라."

"아버지 제발…… 죽을 죄를 지었습니다. 다시는 이런 일이 없도록 하겠으니 시골로 떠나라는 명령만은 거두어 주세요."

"뭐라고! 네놈이 아직 정신이 덜 들었구나. 꼴도 보기 싫다. 어서 썩 내려가거라."

이생은 할 수 없이 짐을 꾸려 집을 떠났다.

다음 날 해가 지자 최 규수는 이생이 오기를 기다리며 여느 때처럼 단장을 하였다. 하지만 이생이 올 시간이 훨씬 지나도 오지 않자 최 규수는 불안하고 초조했다. 그날 밤을 꼬박 새운 최 규수는 며칠이 지나도 이생의 모습이 보이지 않자 시녀를 시켜 알아보게 했다.

'어떻게 된 일일까? 행여 부모님께 붙잡혀 계신 건 아닐까? 아니면 어디 아프기라도 한 것일까?'

"아씨! 아씨! 도련님이 시골로 쫓겨가셨대요. 담을 넘어 아씨와 만난다는 사실을 아시고 부모님이 그렇게 시키셨대요. 벌써 여러 날이 되었다는군요. 어쩌면 좋아요?"

"도련님이 어찌 됐다고? 그 말이 정말이냐? 아, 도련님, 이제 저는 어쩌면 좋아요?"

최 규수는 그 날로 자리에 누워 아무것도 입에 대지 않고 시름시름 앓기 시작했다. 곱던 모습은 사라져 버리고 점점 더 말라 갔다.

최 규수의 부모님은 이유도 모른 채 곁에서 열심히 간호만 하였다. 하루는 소문난 의원을 불러 진맥을 하게 했다. 의원은 최 규수의 아버지께 조용히 뵙자고 했다.

"대감마님, 말씀드리기 어렵습니다만 아가씨의 병은 상심한 마음에서 생긴 것 같습니다. 약으로는 다스리기 어렵습니다. 역정을 내지 마시고 아가씨의 뜻을 들어주십시오. 저대로 놔 두면 큰일납니다."

의원이 돌아간 뒤 최 규수의 아버지는 최 규수의 시녀를 불렀다.

"애야, 우리 딸이 죽게 생겼다. 내 무슨 일이 있었는지는 모르지만 다 용서할 테니 사실대로 얘기 좀 해 보렴, 어서……."

시녀는 대감마님마저도 병이 나실까 걱정이 되었다. 이왕 일이 이 지경에까지 이르렀으니 다 말해 버리는 수밖에 없었다. 시녀는 아가씨가 간직하고 있던 편지함이 있는 곳으로 대감마님을 모셨다. 거기는 이 도령과 주고받은 시가 적힌 종이들로 가득차 있었다.

"아니, 이럴 수가…… 부모 된 노리로 어찌 이토록 사식의 일을 몰랐단 말인가?"

대감마님은 괘씸하기도 하고 어이가 없었지만, 딸이 몸져 누워 목숨을 잃게 되었기에 가까스로 마음을 진정시켰다. 최 규수의 아버지는 딸이 거처하는 곳으로 갔다.

"애야, 네가 이리 된 이유를 대강 알고 왔다. 더 이상 숨기지 말고 애비에게 말해 보거라. 내 야단치지 않겠다고 약속하마."

최 규수는 아버지를 볼 면목이 없었다. 하염없이 눈물만 흘러나왔다.

"아버님, 소녀의 불효를 용서하세요. 대갓집 규수로서 사람들의 눈 밖에 나는 일을 저질렀으니 입이 열 개라도 할 말이 없습니다. 이제 와서 무얼 숨기겠습니까? 얼마 전에 우연히 이 도련님을 만나 부부의 연을 맺었습니다. 그런데 이 사실을 알게 된 도련님의 아버지께서 그를 멀리 내쫓으셨습니다. 눈에서 멀면 마음에서도 잊혀진다고 합니다만, 갈수록 그리움만 쌓이니 제 마음 어찌할 바를 모르겠습니다. 모든 것이 허망하여 살고 싶은 생각이 없습니다."

최 규수는 설움이 복받치는지 흐느끼며 울었다.

"아버님, 소녀의 소원입니다. 도련님과의 혼례를 허락해 주세요. 다른 사람은 싫습니다."

자초지종을 듣고 난 최 대감은 딸을 이 도령과 혼인시키는 길밖에 다른 도리가 없음을 깨달았다.

최 규수의 아버지는 서둘러 이 도령의 집에 사람을 보내어 혼인의 뜻을 전했다. 전갈을 받은 이 도령의 아버지는 다음과 같이 뜻을 전해 돌려보냈다.

　　내 자식이 학문으로 벗을 삼을 나이에 잠깐 한눈을 팔았습니다. 장원급제에 뜻을 두고 있으나 이루지 못하고 있으니, 아직은 혼례를 올릴 시기가 아닌 줄 압니다. 불미스러운 일을 들추어 내면 사람들의 안주거리밖에 되지 않으니 서로 출입을 삼가도록 합시다.

최 대감은 딸의 처지를 생각하여 다시 한 번 사람을 시켜 편지를 전하도록 했다.

　다시 한 번 머리 숙여 부탁드립니다. 전해 온 뜻은 백 번 지당하신 말씀입니다. 하지만 사람에게는 하늘이 정해 준 연분이 있다고 합니다. 자제분과 우리 딸아이가 그렇습니다. 제 자식은 자리를 펴고 누운 지가 여러 날이 되었습니다. 이 도령은 재주가 뛰어나고 심성이 곧다고 들었습니다. 앞으로 반드시 훌륭한 인물이 되리라고 저 또한 믿고 있습니다. 자식을 이기는 부모는 없다고 합니다. 이왕 일이 이렇게 되었으니 마음을 누그러뜨리시고 사돈을 맺어 봄이 어떻겠습니까?

전해 온 편지를 읽고 난 이생의 아버지는 어느 정도 마음이 흔들렸다. 하지만 당장 혼사를 치를 여유가 없었다. 이생의 집은 양반집이기는 하나 사는 것이 빈곤한 선비의 집안이었다. 눈치 빠른 최 대감 집 하인은 이 사실을 알아차리고 최 대감에게 전했다.

최 대감은 모든 혼사 비용은 자신이 다 알아서 할 것임을 넌지시 전하고 혼례 날짜를 잡도록 했다.

이 도령의 아버지도 최 규수의 용모 단정함과 높은 학식에 대해 소문으로 듣고 알고 있는지라 이제는 두 사람의 혼례를 찬성하기로 했다.

시골에서 이 소식을 전해 들은 이생은 그 동안 막혔던 심장이 탁 뚫리는 것 같았다.

'부처님, 자비를 베풀어 주서서 감사합니다. 사람이 참고 기다리면 좋은 날이 온다고 하더니 그 말이 딱 맞는 것 같습니다. 부모님 말씀을 거역하지 못하고 여기까지 내려와 있었지만, 하루도 최 규수를 잊

은 적이 없습니다. 몸은 비록 떨어져 있지만, 마음만은 아가씨가 거처하는 그 곳에 머물러 있었습니다.'

이생은 기쁨을 참지 못하고 정원에 나와 먼 곳을 바라보며 시 한 수를 지었다.

비록 그릇이 깨져도 둥글게 맞추니
까마귀와 까치도 인연을 도와 주네.
기다림의 끝을 빨간 줄로 묶어 주니
봄바람에 소쩍새 미워하지 않겠네.

최 규수 역시 이 소식을 듣고는 좋아서 어쩔 줄을 몰랐다.
"얘야, 그 말이 정말이냐? 응, 다시 한 번 말해 보거라. 내가 도련님

과 혼례를 올리게 됐다고?"

최 규수는 시녀의 손을 꼭 잡고 놔 주질 않았다. 최 규수는 언제 앓았냐는 듯이 자리를 털고 일어났다. 문 밖에는 햇살이 따사로웠다.

"아, 정말 좋은 날씨구나. 마음이 어두우면 주변에 있는 아무것도 안 보인다더니…… 이 세상이 너무나 아름답구나."

최 규수는 감흥을 이기지 못하고 시 한 수를 지었다.

사람의 인연이란 알 수 없다던가
예전의 약속 이루어졌네.
님과 함께 꽃가마 타고 갈 날이 인젠가
애야, 날 일으켜라, 몸단장을 해야겠다.

옆에서 이를 지켜보던 최 규수의 부모님은 그제야 시름을 잊은 듯했다. 최 규수는 부모님께 감사의 말을 했다.

"아버님, 어머님, 이 은혜 평생 잊지 않고 살겠습니다. 앞으로 부모님의 속을 썩이는 일은 없을 것입니다."

시골로 내려갔던 이생이 올라오고, 두 사람은 양가 친지를 모셔 두고 혼인을 했다. 이제 마음 졸이지 않고 서로 만나게 된 그들은 기쁨의 눈물을 흘렸다.

"서방님, 보고 싶었습니다. 흑흑흑……."

"부인, 나도 그렇소. 그 동안 몹시 힘들었지요? 우리 이제 헤어지지 말고 이승의 인연이 끝날 때까지 잘 살아 봅시다. 울지 마시오."

이로써 최 규수와 이생은 부모님 잘 섬기고, 그 흔한 부부싸움 한 번 없이 잘 지냈는데, 사람들은 이를 포선과 황소군(전한 시대 때 부부의 정이 극진하기로 알려진 부부)에 비교하곤 했다.

가정이 화목하니 이생의 학문도 나날이 발전했다. 얼마 후 그는 과거를 보러 떠났다. 부인은 정자나무 아래서 정한수를 떠 놓고 열심히 기도를 올렸다.

"부처님, 비나이다. 서방님이 장원급제하기를 비옵니다."

한 번 일이 풀리면 다 잘 된다더니 이생은 꿈에도 바라던 장원급제를 했다. 그 뒤 벼슬이 점점 높아져 그를 모르는 사람이 없게 되었다.

또 한 번의 이별

고려 공민왕 때 홍건적의 침입으로 나라 안이 발칵 뒤집혔다. 서울로 들어선 오랑캐들은 눈에 보이는 대로 사람을 죽이고, 재물을 빼앗았으며, 집을 불살랐다.

이생도 대충 짐을 챙겨 가족들과 함께 피난길에 올랐다. 하지만 날이 점점 어두워지자 길이 안 보여 앞을 분간할 수 없었다. 뒤에서는 오랑캐들의 말발굽 소리가 점점 가까워졌다.

'이대로 가다간 다 붙들리고 말겠다. 우선 부모님과 부인을 안전한 곳에 모셔 놓고 길을 찾아본 후에 다시 데리러 와야겠다.'

이생은 가족들에게 잠시 기다리라고 한 뒤에 서둘러 길을 찾아나섰다.

시부모님과 함께 이제나저제나 남편이 오기만을 기다리고 있던 최씨에게 불안한 마음이 물밀 듯 밀려왔다. 아니나다를까 주위가 소란스럽더니 오랑캐로 보이는 사람들이 들이닥쳤다.

"우하하, 여기 계집과 늙은이가 있다. 계집은 끌고 가고, 저 늙은이들은 없애 버려라!"

우두머리로 보이는 도적놈이 명령하자, 부하들은 단칼에 시부모님을 베어 버렸다. 그 광경을 목격한 최씨는 온몸이 부들부들 떨렸다. 죽은 시부모님을 끌어안고 목놓아 울었다.

"이 짐승만도 못한 놈들아! 너희들은 부모도 없단 말이냐? 하늘이 무섭지도 않느냐? 나도 같이 죽여라! 내 귀신이 되어서라도 너희들을 그냥 두지 않겠다."

최씨가 오랑캐에게 죽기를 각오하고 달려들자 그들은 최씨마저 죽이고 말았다. 길을 찾아 헤매던 이생은 오랑캐 무리에게 쫓겨 이리저리 떠돌아다녔다.

'내 가족들은 어떻게 지내고 있을까? 이게 무슨 변고란 말인가?'

얼마 뒤 오랑캐들이 전쟁에 지고 물러갔다는 소문이 들려 왔다. 이생은 서둘러 집으로 갔다. 그러나 그의 집은 이미 쑥대밭이 되어 있었다. 사람의 인적이라곤 보이지 않고, 살림살이는 모두 부서져 있었다.

눈앞의 광경이 믿기지 않았지만, 마음을 추스리고 처갓집으로 발길을 돌렸다. 그 곳도 난장판이 되어 있었고, 성한 것이라곤 찍찍대며 돌아다니는 쥐들뿐이었다.

'이제 난 어떻게 해야 하나? 모든 것이 허무하구나.'

이생은 부인과 사랑을 나누었던 작은 다락으로 가 보았다. 그 곳도 다 허물어져 예전의 모습을 찾아볼 수 없었다. 이생은 더 이상 돌아다닐 힘도 없어 그 곳에 털썩 주저앉았다.

자신의 신세처럼 달빛도 처량해 보였다. 멍하니 달님을 쳐다보다 깜빡 잠이 들었다.

"사박 사박……."

어디선가 치마 끌리는 소리와 함께 발자국 소리가 들려왔다. 이생은 퍼뜩 눈을 떴다. 가만히 소리 나는 쪽을 향해 귀를 기울였다.

"거기 누가 온 게요? 사람이면 대답해 보시오."

희미한 달빛 사이로 모습을 드러낸 사람은 다름 아닌 부인 최씨였다.

"부인! 부인이 아니시오? 어떻게 된 일이오? 몸은 괜찮소? 어디 다친 데는 없소?"

너무 반가운 나머지 이생은 부인을 부둥켜안고 엉엉 울었다. 최씨도 이생의 품에 안겨 떨어질 줄을 몰랐다.

"서방님, 이렇게 살아 계셨군요. 이제부터 제 말을 잘 들으세요. 저는 담장 너머로 시를 주고받을 때부터 이미 마음을 정했습니다. 이 분은 나의 서방님이라고요. 서방님께서도 제 사랑을 받아 주셔서 부부의 인연을 맺었습니다. 하지만 너무 행복하면 나쁜 일이 생긴다고 하지요. 얼마 전 오랑캐가 쳐들어와 온 나라를 짓밟아 놓았습니다. 당신이 길을 찾으러 떠난 사이, 오랑캐 몇 놈이 아버님과 어머님을 해치고 저를 끌고 가려고 했답니다."

부인은 지난 일이 다시 되살아나는지 잠시 말을 끊고 숨을 돌렸다.

"저는 정조를 지키며 반항하다가 그만 목숨을 잃고 말았습니다. 죽어서도 서방님을 잊지 못하고, 이 곳에서 서방님이 찾아 주시기를 기다리고 있었습니다. 비록 산 몸은 아니지만 하늘에서 허락한 날까지 서방님과 함께 지내고 싶습니다. 허락해 주실는지요?"

"부인, 허락이라니요. 나도 부인과 함께 있고 싶소. 그 동안 얼마나 고생이 많으셨소? 이 모든 것이 내가 못난 탓이오. 정말 할 말이 없소."

"고맙습니다, 서방님."

"그런데 장인 장모님은 어떻게 되신 게요?"

부모님 얘기가 나오자 최씨는 고개를 떨구고 눈물을 흘렸다. 친정 부모님도 난리통에 돌아가시고 시신도 찾지 못했다는 것이다.

"제가 피난 나오기 전에 돈이 될 만한 재물은 땅 속에 묻어 두었으니 날이 밝는 대로 그것을 파내기로 해요. 그리고 양가 부모님의 시신을 찾아서 양지 바른 곳에 묻어요."

두 사람은 밤이 깊도록 그 동안 못다한 이야기를 나누었다.

다음 날, 부부는 양가 부모님의 시체를 모두 수습하여 명당 자리를 찾아 묻어 드리고 묘지를 정성스럽게 매만진 후, 제사를 지냈다.

그 후로 이생은 세상일에는 관심을 두지 않았다. 큰일을 치러 내고 난 뒤라 깨달음이 많았다. 모든 것이 허망하고 쓸데없는 짓 같았다. 단지 사랑하는 부인과 마주 보고 얘기를 나누며 사는 것이 가장 행복하다고 믿었다. 부인도 이런 이생의 마음을 알았는지 굳이 등을 떠밀어 세상으로 나가라고 권하지 않았다. 시구절을 나누어 읊고 짓는 것이 그들 부부의 유일한 즐거움이었다.

세월은 흐르는 강물 같다고 했다. 최씨는 최근 들어 가끔씩 낯빛이 흐려지곤 했다. 하루는 이생에게 할 말이 있다고 했다.

"서방님, 제 말을 잘 들으십시오. 이제 저는 저승으로 돌아가야 할 것 같습니다. 어젯밤 꿈에 옥황상제님께서 나타나셔서 이제는 이승의 일을 정리하고 돌아오라고 하셨습니다. 그 동안 옥황상제님의 배려로 비록 죽은 몸이지만 이 세상에서 생활할 수 있었답니다. 당신과 나의 지극한 사랑을 어여쁘게 여겨 은혜를 베풀어 주신 것이지요. 하지만 이제 저는 이승에서의 운명이 다했습니다, 서방님. 흑흑흑……."

최씨는 참았던 설움이 복받쳐 오는지 결국 흐느껴 울었다.

"아니, 그게 무슨 말이오? 얼마 남지 않은 여생, 이 세상에서 같이 살다 가야 하지 않겠소? 당신 없이 이 쓸쓸한 세상을 어찌 살라고 그러시오? 벼슬도 다 버리고 세상일도 눈 감고 살았소. 오직 당신만 보고 그걸 즐거움으로 알고 지냈소. 만약 당신이 가야 한다면 나도 따라 같이 가겠소. 혼자 먼 길을 떠나 보낼 순 없소."

"저도 서방님을 두고 가려니 발길이 떨어지지 않습니다. 하지만 당신은 아직 이 세상에서 해야 할 일이 남아 있습니다. 또 양가 부모님의 무덤도 돌봐 드려야 합니다. 억울하게 돌아가신 분들이니 정성을 다해 돌봐 드리세요. 사람의 욕심은 한도 끝도 없다고 합니다. 제가 서방님과 이승에서 더 살기를 원한다면 분명 큰 벌이 내려질 것입니다. 또 서방님이 섣불리 목숨을 끊으시면 저는 좋은 곳으로 가지 못하고 구천을 떠돌게 될 것입니다."

이생은 자신이 어리석은 행동을 하면 부인에게 해가 된다는 것을 깨닫고 고개를 끄덕이었다.

"서방님, 마지막 부탁이 있습니다. 제 시신이 아직 무덤 없이 내버려져 있습니다. 서방님이 거두어서 묘지를 만들어 주신다면 고맙겠습니다. 그럼 이만……."

마지막 말을 마친 최씨는 몸이 가볍게 뜨는 듯하더니 이내 사라져 버렸다.

부인이 일러 준 장소를 찾아 시체를 찾으니 처참한 모습은 차마 눈 뜨고 볼 수가 없었다. 이생은 부모님 곁에 장소를 정하여 최씨를 잘 묻어 주었다.

매일 부인의 무덤가를 찾아 슬피 울고 내려가는 이생은 거의 넋이 나간 듯했다. 그는 부인만을 찾으며 시름시름 앓다가 결국 두 달여 만에 세상을 하직하고 말았다.

이생과 최 규수의 아름다운 사랑 이야기는 오랫동안 사람들의 가슴속에 남아 후세에 전해졌다.

취유부벽정기

영명사의 선녀

중국 주나라 무왕이 은나라를 평정한 다음 사상가 기자를 찾아가 통치하는 법을 물었다. 기자는 갖추어야 할 덕목과 방법에 대해 상세히 일러 주었다. 무왕은 기자의 덕망과 학식에 감탄하며 그를 고조선의 왕으로 삼았다. 그 후로 고조선은 조선으로 불리게 되었고, 서울은 평양이 되었다.

평양에는 금수산, 봉황대, 증라도, 기린굴(동명왕이 말을 타고 들어갔다는 굴), 조천석(동명왕이 하늘나라 회의에 참석하러 갈 때 출발했다는 돌) 등 아름답기로 유명한 곳이 여기저기에 자리잡고 있다.

또 사람들의 입에 오르내리는 곳으로, 영명사의 부벽정이라는 정자가 있었다.

평양성 밖에 위치한 영명사는 고구려의 동명성왕의 구제궁(동명왕의 대궐)이 있는 사찰로, 대동강과 끝없는 평야를 한눈에 볼 수 있는 곳이다.

부벽정에는 계절마다 유람선과 장사하는 배들로 사람들의 발길이 끊이지 않았다.

"여기가 말로만 듣던 부벽정이구나. 저 아래 펼쳐진 장관은 내 이제껏 본 경치 중에 제일이야. 정말 굉장하구먼."

이 곳을 찾은 사람들은 감탄하며 입을 다물지 못했다.

정자의 남쪽으로는 돌로 깎아 만든 사다리가 있는데, 한쪽은 청운제라 이름 붙여 있고, 다른쪽은 백운제라고 했다. 조각을 기막히게 해 놓아 구경 온 사람들은 반드시 한 번은 들렀다.

조선 시대 세조 2년, 개성의 소문난 부잣집에 홍생이라는 젊은이가 살고 있었다.

그는 부모님께 효도하고 윗사람을 존중할 줄 아는 흠잡을 데 없는 청년으로, 학문도 매우 뛰어나 사방에 이름이 널리 알려져 있었다.

어느 날 홍생은 아버지의 일을 도와 하인들을 데리고 평양 시장에 옷감을 팔러 나갈 준비를 했다.

"어이, 우리도 비단과 삼베를 팔러 가려던 참인데 같이 가세. 물건도 팔고 시간이 남으면 경치 구경도 하고 오세."

홍생은 친구들과 함께 길을 떠났다. 그들은 배를 타고 대동강을 건너 유기라는 곳에 닿았다. 배에서 내린 그들은 평양 시내로 걸음을 재촉했다.

젊은이 몇몇이 짝을 지어 걸어오는 것을 본 기생들이 우르르 몰려들었다. 기생들은 그 중에서 인물이 뛰어난 홍생에게 장난을 치며 손을 이끌었다. 그는 처음 당하는 일이라 손을 뿌리치며 소리쳤다.

"왜 이러시오?"

그는 친구들에게 볼일이 있다고 얘기하고 그 곳을 빠져 나왔다. 그 길로 평양성 안에 살고 있는 친구 이 선비를 찾아갔다.

"아니, 이게 누군가? 홍생이 아닌가? 마침 달도 밝고 해서 술 한잔 생각이 나던 참인데……."

"그래, 잘 있었는가? 평양 경치 좋은 곳에서 사는 재미가 어떤가?"

"하하하, 좋지, 좋고말고. 오랜 친구를 만나니 더욱 좋구만."

친구와 함께 술상을 차려 놓고 도란도란 얘기를 나누었다. 어느덧 밤도 깊어지고, 홍생도 술기운이 도는지라 친구에게 다음을 약속하고 자리에서 일어섰다.

배로 돌아온 홍생은 같이 온 친구들을 찾아보았으나 그들은 보이지 않았다. 자리에 누웠으나, 정신은 맑아지고 눈은 말똥말똥했다.

'음, 풍교야박(단풍나무 다리 부근에서 하룻밤 정취를 읊음)이란 시가 떠오르는구나. 경치 좋은 곳에 와 그냥 자려니 안 되겠다.'

그는 자리에서 일어나 돛단배 하나를 빌려 노를 저었다. 강물은 달빛을 받아 더욱 빛이 났다. 무심히 노를 저어 당도한 곳이 그 유명한 부벽정 밑이었다.

'여기가 그 유명한 영명사의 부벽정이로군. 여기까지 왔으니 그냥 갈 수 없지. 한번 올라가 봐야겠다.'

그는 배를 한켠에 매어 두고, 부벽정 한쪽에 있는 사다리를 밟고 정자에 올랐다. 정자에서 내려다본 경치는 그야말로 장관이었다. 두루미와 기러기도 날아와 정취를 더하는 데 한몫했다.

'소나무에서 울고 있는 저 두루미는 흡사 옥황상제가 계신다는 하늘나라에서 온 것처럼 고귀하구나. 저 대동강 물은 어찌 저리 희고 깨끗할까!'

주변 경치에 넋을 빼앗긴 홍생은 시간 가는 줄 몰랐다.

홍생은 내친 김에 평양성도 둘러보기로 했다. 웅장하고 화려했던 시절은 가고 흔적만이 옛 도읍지의 명성을 지키고 있었다.

'세월은 흐르는 물과 같다더니, 그 찬란했던 시절은 가고 이끼 낀 성곽만 남아 있네. 아! 모든 것이 부질없구나. 어차피 다 없어져 버릴 것을 왜 사람들은 이다지 눈앞에 보이는 것에만 집착하는지……'

그는 착잡한 마음을 시로 읊어 달래 보았다.

> 평양성을 둘러보고 시 한 수 지으니
> 흐느끼는 강물 소리에
> 영웅 호걸은 사라지고
> 이끼 낀 성곽만 남아 있네.
> 달빛은 모래밭을 비추고 기러기는 끼룩끼룩
> 갈대밭엔 반딧불만 날고 있네.
> 세월은 덧없어 쓸쓸한 풍경과
> 영명사 깊은 곳에 종소리만 들리네.

> 오늘은 한가위 달빛은 훤한데
> 옛 성터를 찾아보니 마음만 초라하고
> 오래 된 나무 옆 기자왕의 무덤
> 단군 사당 벽엔 담쟁이 덩굴이 무성하고
> 천하를 호령하던 영웅 호걸은 어디로 갔는가.
> 덧없는 세월 잡초만 무성하다.
> 한가한 저 달은 옷소매를 밝게 비춰 주네.

혼자 애처롭게 시를 읊다가 그는 덩실덩실 춤을 추기 시작했다. 홍생은 스러져 간 옛 도읍지의 쓸쓸함을 달래 보려고 노래를 부르며 손뼉을 쳤다.

옆에 친구가 있어 같이 장단을 맞추고 흥을 돋우어 주었으면 좋겠지만 그런 대로 괜찮았다. 문득 정신을 차려 보니 주변은 깜깜했다. 새벽 세 시를 넘긴 시간이었다.

"아차, 내가 정신 없이 놀았네. 친구들도 이제 돌아왔겠지. 서둘러 배로 돌아가야겠다."

홍생이 발걸음을 재촉하여 돌아가는데 어디선가 사람들의 말소리가 들려왔다.

'아니, 이게 무슨 소린가? 짐승의 소리는 아닌 것 같고……'

소리가 들려오는 곳은 부벽정의 서쪽이었다. 혹시 절의 스님들이 홀로 춤을 추고 있는 홍생을 발견하고 웬 놈인가 하고 살펴보러 나오는 건 아닐까? 이런저런 생각을 하고 있는데, 두런거리는 말소리는 점점 가까이에서 들렸다.

정자 위에 당도한 그들은 세 사람의 여인이었다. 품위 있어 보이는 가운데 여인 주위로 옥피리와 비단부채를 든 여인이 서 있었다. 가운데 지체 높은 집안의 규수로 보이는 여인은 먼 거리였지만 매우 아름다워 보였다. 마치 인간 세상에 잠시 놀러 나온 달나라의 선녀 같았다. 무엇에 홀린 듯 정신 없이 여인을 훔쳐보던 홍생은 자기도 모르게 좀더 가까이 다가갔다.

난간 위에 등을 기대고 선 여인은 먼 곳에 시선을 두고 시 한 수를 읊었다. 홍생은 여인의 모습과 황홀한 시에 취해 그 자리에 서서 굳어 버린 돌처럼 꼼짝도 하지 않았다.

여인은 곁에 있던 시녀들이 자리를 펴 주자 거기에 앉아 들으란 듯이 말을 던졌다.

"애들아, 조금 전에 이 근처에서 시를 읊는 소리가 들리는 것 같던 데……그 소리에 홀려 여기까지 왔지 않니? 그런데 통 사람의 모습이 보이지 않는구나. 이 근처를 둘러보고 오너라."

"예, 아씨. 제가 찾아서 모시고 오겠습니다."

피리를 들고 있던 시녀가 정자를 내려오고 있었다.

홍생은 선비 체면으로 여인네들이 노는 것을 지켜보고 있었던 사실이 부끄러웠다. 하지만 여인도 그를 찾고 있는 눈치인지라 더 이상 숨을 필요가 없다고 생각했다.

"에헴, 에헴."

홍생의 기침 소리를 듣고 시녀가 다가왔다. 시녀는 그를 아가씨에게 모셔갔다.

홍생은 예의를 갖추어 인사를 했다.

"어서 오십시오. 이리로 앉으세요."

여인은 마치 아랫사람에게 명령하듯 말했다. 홍생은 초면에 기분이 좋지 않았다. 좀전까지 여인에게 가졌던 호의가 싹 가시는 듯했다.

홍생의 기분을 눈치챈 여인은 나직한 목소리로 분위기를 돌렸다.

"달빛도 환하고, 은하수 맑은 물에 옥토끼도 나올 만한 이 밤에 선비님과 시를 주고받고 싶었습니다. 그래서 제가 부끄러움을 무릅쓰고 시녀를 시켜 선비님을 불러 오라 했습니다. 결례를 범했다면 용서해 주십시오."

"아닙니다. 저도 아가씨의 시를 멀리서 듣고 감동하고 있었습니다. 아가씨들이 노는 곳을 몰래 지켜본 제가 도리어 용서를 빌어야겠지요."

아무리 어두운 밤이지만 남자 여자가 서로 마주 보고 앉아 있다는 것은 좀 민망했다. 여인은 곧 시녀를 시켜 병풍을 가져오라 했다.

낮은 병풍으로 여인의 앞을 반쯤 가리게 한 연후에 이야기를 나누었다.

여인은 홍생이 평양성을 살펴보고 안타까워하며 지었던 시를 다시 한 번 들려 달라고 부탁했다.

"좀전에는 혼자 울적해하며 시를 읊었는데, 이렇게 알아 주는 이가 있으니 참으로 기쁩니다. 그럼 미흡하나마 다시 한 번 읊어 보겠습니다."

여인은 지그시 눈을 감고 시를 감상했다. 마치 홍생의 시 속으로 빠져드는 것 같은 표정이었다.

"정말 아름답고 슬픈 시로군요. 선비님과 같은 분을 만나게 되어 정말 기쁩니다. 이 밤 오래도록 시에 대해 서로 이야기를 나누어 보도록 해요."

여인은 시녀를 시켜 술상을 정성껏 봐 오도록 했다. 잘 차려진 술상을 본 홍생은 눈이 휘둥그레졌다.

'아니, 이 음식들은 내 생전에 보지 못한 것이로군. 마치 이 세상 음식들이 아닌 것 같구나.'

젓가락으로 안주 하나를 집어 든 홍생은 곧 음식을 뱉어 버리고 말았다. 너무 딱딱하여 마치 돌멩이를 씹는 것 같았다.

'선비 체면에 음식을 가지고 투정을 부릴 수도 없는 노릇이고…… 그래, 술은 괜찮겠지? 한 잔 마셔 보자.'

홍생은 술잔에 술을 따라 쭉 들이켰다.

"에뤠뤠, 아이고 써라. 아가씨, 내 웬만하면 그냥 넘어가려고 했소. 하지만 이 음식과 술은 맛이 좀 이상한 것 같소. 찬은 돌멩이 같고, 술맛은 마치 쓴 한약 같소."

여인은 살며시 미소를 머금고 말했다.

"선비님, 죄송합니다. 제가 거기까지 미처 생각지 못했습니다. 이것은 인간 세상의 음식이 아닙니다. 딱딱하다고 느끼시는 반찬은 용의 고기이고, 술은 신선들이 마시는 것입니다."

여인은 시녀를 시켜 신호사란 절에 가서 음식을 구해 올 것을 당부했다. 잠깐 사이에 음식을 구해 온 시녀들은 상차림을 다시 했다. 그것들은 절에서 먹는 음식들이었다. 여인은 반찬의 가짓수가 성에 차지 않았는지 이번에는 시녀를 주암이라는 곳으로 보냈다.

시녀가 가져온 반찬은 그가 가장 좋아하는 잉어 산적이었다. 저녁을 먹은 지도 한참이 지난 시각이라 홍생은 음식들을 허겁지겁 먹어 치웠다.

여인은 홍생이 음식을 맛있게 먹는 모습을 흐뭇한 표정으로 지켜보았다. 그리고는 홍생의 시에 답하는 시를 지었다.

배불리 먹은 홍생은 여인이 적어 준 시를 감상했다.

부벽정에 달빛이 훤히 비추는데
님과의 이야기 끝이 없네.
희미한 나뭇잎은 푸른 양산을 편 듯하고
대동강은 흰 수건을 두른 듯한데
세월은 날아가는 화살과 같네.
세상 만사 흐르는 물처럼 허무하구나.
마음속에 쌓인 한을 누가 알아 주나.
깊은 산 속 종소리는 은은히 울려 오네.

옛 성에 오르니 대동강이 어딘가

모래사장엔 기러기 떼 슬피 운다.
기린은 오지 않고 그대 보낸 뒤에
피리 소리 그치고 빈 무덤만 남았네.
구름 걸친 산에 비오려나
조용한 절간 홀로 술에 취해 있어
흥하고 망함은 뜬구름 같구나.

　홍생은 여인의 시를 읽고 감동했다. 세월의 허망함과 시인의 마음이 잘 나타나 있어 보는 이로 하여금 시 속에 빠져들게 했다.
　그는 여인에 대해 여러 가지가 알고 싶어졌다. 어느 양반집 규수인지, 어디서 사는지, 이름은 무엇인지 등등 궁금한 것이 너무 많았다.
　여인은 이제 자신의 신분을 밝힐 때가 되었다고 생각했다.
　"선비님, 저는 은왕의 자손으로 기자의 후예입니다. 기자는 이 땅의 왕이 되어 모든 예법과 제도를 성왕의 가르침을 따랐고, 특히 금기 사항을 여덟 가지로 정하여 백성을 이끌었습니다. 나라 안은 평화롭고 백성들은 행복했습니다. 그러나 갑자기 들이닥친 재난으로 아버지는 역적의 손에 죽임을 당하셨습니다. 그 지경에 위만이라는 사람이 임금의 자리에 올랐습니다. 저도 그 당시 놈들에게 사로잡혔습니다. 이왕 죽을 목숨 정조를 지키자 작정하고 스스로 목숨을 끊으려고 했습니다. 그 때 문득……."
　여인은 지난 날을 돌이키며 잠시 말을 끊었다.
　"문득 한 신선이 나타나 저를 도와주겠다고 했습니다. 그 분은 이 나라의 시조로 부귀영화를 누린 뒤에 바다의 외딴 섬에 들어가 신선이 된 지 수천 년이 흘렀다고 했습니다. 신선은 제게 하늘나라로 올라가 함께 지내자고 했고, 마음 편히 대해 주셨습니다. 그리고는……."

처음 듣는 괴상한 이야기에 홍생은 야릇한 기분마저 들었다. 홍생의 안색을 살핀 후, 여인은 하던 이야기를 계속했다.

"영원히 죽지 않는다는 불사약을 건네 주셨습니다. 약을 먹고 시간이 흐르자, 제 몸은 점점 가벼워져 하늘로 날아올랐습니다. 기분이 이상하더군요. 저는 그 뒤로 가고 싶은 곳은 어디든지 날아가서 구경하곤 했습니다. 하루는 기분이 울적해져 어디든지 떠나 보고 싶었습니다. 저는 달나라로 올라가 달 속의 선녀가 산다는 수정궁과 광한루를 구경했습니다."

홍생은 여인의 이야기를 듣고 이 세상의 일이 아닐 거라고 생각했다. '죽지 않는 약은 어떤 것이며 달나라의 수정궁은 어떻게 생겼을까? 나도 한번 가 봤으면……'

"달 속에 사는 선녀 항아는 내게, 계수나무 향기를 맡으며 옥황상제가 사는 궁궐에서 사는 것이 어떠냐고 권했습니다. 은하수에서 목욕을 하며 수정궁에 머문 지가 여러 날이 되었습니다. 문득 달에서 인간 세상을 내려다보니 고향 생각이 났습니다. 산과 흐르는 물은 변함이 없고, 사람들도 없는 깊은 밤이라 인간 세상으로 내려오고 싶었습니다. 그래서 시녀들을 거느리고 고향으로 내려와 선조들의 무덤을 찾아 성묘하고, 부벽정에 올라와 옛 생각에 젖어 있었습니다."

여인은 긴 얘기에 숨이 찬지 잠깐 말을 멈추었다.

"그 때 선비님의 아름다운 시를 듣고 마음이 흔들렸습니다. 그래서 선비님을 이쪽으로 모시게 되었습니다. 오늘 밤 선비님과 함께 시간을 갖게 된 것이 다행이라 생각됩니다."

홍생은 여인의 신비로운 사연을 다 듣고 나사 감격하어 저도 모르게 벌떡 일어섰다. 그리고 공손히 두 손을 모아 무릎을 꿇고 두 번 절했다.

"선녀님, 저의 행동에 무례함이 있었다면 꾸짖어 주십시오. 처음 봤을 때부터 평범해 보이지 않았습니다. 한 보잘것없는 선비가 이렇듯 천상에서 내려오신 선녀님과 자리를 같이 하고 있으니 큰 영광입니다. 게다가 형편없는 제 시를 들어 주시고 저를 위해 아름다운 시를 지어 주시니 감격할 따름입니다. 땅에 사는 인간들에게는 보통 네 가지 행복이 있다고 합니다. 첫째 아름다운 계절, 둘째 좋은 경치, 셋째 그걸 보고 즐거워하는 마음, 넷째 그것을 즐기고 유쾌하게 노는 일입니다. 저는 이 모든 것을 다 가진 것 같습니다."

홍생은 말을 마치면서 한 가지 부탁을 했다.

"선녀님, 소인이 원하는 것이 한 가지 있습니다. 〈가을밤에 강가 정자에서 달을 보고 즐긴다〉라는 제목으로 시 한 수를 지어 주십시오."

여인은 시녀에게 붓과 벼루를 가져오라고 명하였다. 종이에 붓을 들어 시를 써 내려가는 모습은 흡사 고운 학 한 마리가 사뿐 내려앉아 날갯짓을 하는 듯했다.

> 부벽정 밝은 달밤에 이슬이 내리고
> 고운 빛 은하수는 정처 없이 흐르니
> 금수강산의 열두 정자 아름답기 그지없네.
> 구름 한 점 없는 하늘은 눈에 들고
> 무심히 흐르는 강물 위에 조각배는 떠 있네.
> 슬픈 노래 들으려고 옥토끼를 불렀던가
> 금조개 은조개로 집을 짓고
> 지미(당나라의 도술가)와 구경할까.
> 놀란 까치는 푸드득 날아갔네.

> 이태백의 술잔은 기울고

오강은 계수나무를 베었네.
화려한 비단병풍 수를 놓고
귀한 거울 걸어 두고 보니
금물결 은하수가 반짝이네.
금두꺼비, 옥토끼를 잡으려 하니
어두운 하늘은 개고 속세엔 강물이 흐르네.
길을 잃고 헤매다 고향 친구 만나니
좋은 시절 좋은 술 주거니 받거니
밤새 취하도록 마셔 보세.

오래 된 소나무 가지 위에 학이 울고
주변에는 귀뚜라미 울음소리,
주안상을 물리고 강가를 둘러보니
옛 성터는 쓸쓸하고 바람 소리 휑하네.
물든 단풍, 노란 갈대도 이리 흔들 저리 흔들
신선의 세계와 속세는 세월이 다르니
옛 궁터엔 벼들이 무성하고
사당엔 잡초들만 가득하네.

훨훨 나는 갈매기에게 물어보자
인생이란 하루살이처럼 짧고 허무하니
님이 거처하던 높은 궁궐은 흔적만 남고
깊은 산 속에는 반딧불반 반짝인나.
지나간 세월도 슬프지만 또 다른 근심은 어찌할까.
목면산은 단군터요, 평양성은 기자의 터라

선녀는 악기를 멈추고 선비는 붓을 놓으니
노랫소리 멈추고 바람은 고요한데
노 젓는 소리만 들리는구나.

여인의 시가 끝나자 홍생은 마음속으로 크게 감탄했다.

'훌륭한 시로군. 학문이란 할수록 힘든 것이구나. 앞으로 더 열심히 배우고 익혀야겠다.'

홍생이 감탄해 마지않는 동안 여인은 갑자기 붓을 공중으로 던졌다.

그리고는 아쉬운 듯이 홍생을 잠시 바라보았다. 그녀의 고운 눈에 눈물이 맺힌 듯했다. 이어 여인은 머리를 들어 고개를 끄덕이더니 하늘로 솟아올랐다. 눈 깜짝할 사이의 일이었다.

홍생은 무엇에 홀린 듯 넋을 잃었다.

'내가 지금 귀신에게 홀린 것인가? 아니면 꿈을 꾸고 있는 것인가?'

그는 여기저기 주변을 두리번거렸다. 그러나 여인의 모습은 어디에도 보이지 않았다.

"선녀님, 어디 계십니까? 장난을 치는 것이라면 그만 두시고 얼른 나오십시오."

홍생은 하늘에 대고 크게 소리쳐 보았다. 이에 대답하기라도 하듯 공중에서 소리가 들려왔다.

"선비님! 저는 이제 옥황상제님이 계신 곳으로 돌아가야 합니다. 정해진 시간이 급하여 인사도 제대로 드리지 못하고 갑니다. 저도 선비님과 시를 지어 함께 나누고 싶지만 하늘나라의 규율을 어기면 큰 벌을 받습니다. 오랜만에 마음이 통하는 분과 시간을 갖게 되어 정말 기뻤습니다. 하지만 오랫동안 즐거움을 나누지 못해 정말 섭섭합니다."

여인의 말이 끝나자 회오리바람이 불었다. 바람은 여인이 마지막으로 쓴 시를 공중으로 날려 자취도 없이 사라지게 했다.

"제발, 선녀님이 쓴 시만이라도 돌려 주세요. 제발······."

하늘에 대고 소리쳐 보았지만 아무 소용이 없었다. 여인이 앉았던 자리는 아무 흔적조차 없었다. 홍생은 기가 막혔다. 그는 자리에 앉아 굳어 버린 돌처럼 꼼짝하지 않았다.

신선이 된 홍생

하룻밤의 만남은 길다면 길고 짧다면 짧다. 하지만 홍생에게는 잊혀지지 않는 하룻밤이었다. 그리 긴 시간은 아니었지만 시로 맺은 인연은 오랜 세월을 함께 지낸 것 같았다.

홍생은 허탈한 마음을 달래며 난간에 기대어 여인과의 만남을 되짚어 보았다.

'지금 내 앞에는 아무것도 남아 있지 않다. 여인의 모습도, 그녀가 쓴 시도······ 내가 꿈을 꾸고 있었던 것일까? 꿈이라면 어찌 이렇게 생생하단 말인가?'

이런저런 생각에 잠겨 있던 홍생은 시 한 수를 읊어 마음을 달래 보았다.

구름도 아니고 비도 아닌 허망한 꿈
언제나 그리운 님 다시 볼 수 있을까.
대동강 푸른 물결 무정하나 하지 바라
님 찾아 슬피 울며 흘러가네.

멀리 절에서는 새벽 종소리와 목탁 소리가 울려 왔다. 새벽이 밝아 오고 있었다. 달은 서쪽에 걸려 있고, 난간 아래에서는 풀벌레 소리만 요란하게 들려왔다.

'아, 그렇지. 배를 저어 이 곳으로 왔었지. 잠깐 정신을 잃었었군. 얼른 돌아가야겠다.'

절간의 종소리에 정신이 드는지 그는 친구들이 기다리고 있는 배를 향해 부지런히 걸었다.

"저기 터벅터벅 누가 걸어오고 있지 않나?"

"어디, 어디? 아니, 저건 우리가 찾던 홍생이 아닌가?"

이제나저제나 그가 돌아오기만을 기다리고 있던 친구들이 배 밖으로 몰려나왔다. 가까이 다가온 홍생의 모습은 몹시 초췌해 보였다.

"여보게, 친구. 대체 어디 있다가 지금에야 나타나는가? 이제까지 다녀온다던 친구 집에 있었나? 얼굴이 말이 아니구먼. 상심한 빛이 가득 찼어."

"그러게 말이야. 간밤에 무슨 안 좋은 일이라도 있었나? 길에서 도둑이라도 만난 게야?"

간밤의 일이 궁금한 친구들이 한 마디씩 물었다.

"미안하네. 친구를 만나고 돌아왔는데 자네들이 보이지 않더군. 그래 잠은 안 오고 해서 배를 타고 낚시를 갔지. 출렁이는 강물에 달빛이 어리는데 너무 아름다웠지. 그런데 물이 너무 차서 고기들이 보이지 않아 한 마리도 잡지 못했네. 그렇게 달 구경만 하다 보니 날이 새고 말았다네. 그래서 부랴부랴 이리로 오는 길이라네."

재미있는 이야기를 기대하고 있었던 친구들은 김이 새는 것 같았다.

그들은 홍생이 몸 성히 돌아온 것만을 다행으로 여겼다. 그리고는 더 이상 궁금해하지 않았다.

홍생은 선녀와의 하룻밤을 소중히 간직하고 싶었다. 누군가에게 털어 놓으면 시원스럽기는 하겠지만, 자신의 애틋한 사랑이 다 날아가 버릴 것만 같았다.

집으로 돌아온 홍생은 선녀가 너무도 그리웠다. 세월이 가면 사랑하 던 사람도 잊혀진다고 했지만 시간이 흐를수록 선녀에 대한 그리움은 점점 더해만 갔다.

책을 읽어도 같은 부분만 반복해서 읽혀질 뿐 도무지 집중할 수가 없 었다. 나무를 봐도, 활짝 핀 꽃을 봐도 선녀 생각뿐이었다. 달이라도 떠 오르면 가슴속이 더욱더 시려 왔다.

'달 속에 선녀님이 계신다고 했지? 저 달 속에서 나를 보고 계실까? 아, 내가 지금 무슨 생각을 하고 있지? 선녀님과 나는 사는 곳이 달 라. 아무리 먼 곳이라도 갈 수 있는 곳이었으면 좋으련만.'

넋을 잃고 있다가도 퍼뜩 정신을 차리면 제정신으로 돌아오곤 했지만 마음의 병은 갈수록 더해 갔다. 밥 먹는 일도 잊어버려 어떤 때는 하루 종일 굶기도 했다.

걱정이 된 홍생의 아버지는 아들의 친구들을 집으로 불러들여 물어 보았다.

"내가 자네들을 부른 것은 다름이 아니라 내 아들 때문이네. 한가윗 날 평양으로 옷감을 팔러 갔다 돌아와서는 저렇게 시름시름 앓고 있 네. 무슨 일인지 물어도 대답도 않고……."

그 동안 학문이 높아 가문의 자랑으로 여겼던 아들이 저렇게 되자 홍 생의 부모는 걱정이 이만저만이 아니었다.

"그 때 자네들도 같이 갔으니 내 아들에게 무슨 일이 있었는지 알고 있지 않겠나? 속 시원히 말 좀 해 주게나."

친구들은 난감하고 몸 둘 바를 몰랐다. 그 중에 한 친구가 나서서 말

했다.

"어르신, 저희들도 괴롭습니다. 옷감을 팔러 함께 동행을 하긴 했습니다만…… 홍생이 저희를 떠나 잠시 평양성 안에 있는 친구를 만나러 간 것 말고는 더 아는 것이 없습니다."

친구들은 홍생이 곧 정신을 차릴 것이니 걱정하지 말라고 홍생의 부모를 위로한 다음 돌아갔다.

마을 사람들도 홍생의 처지를 딱하게 여기고 안타까워했다.

"저런, 둘째가라면 서러울 정도로 똑똑하고 야무진 홍 선비가 어찌 저렇게 넋을 잃고 몸져 누웠을까? 혹시 상사병이라도 걸린 것은 아닐까?"

소문난 의원들이 문턱이 닳도록 홍생의 집을 드나들었고, 집에서는 아픈 아들을 위해 진수성찬을 차렸지만 홍생은 거들떠보지도 않았다.

홍생의 병은 점점 더 깊어져 드디어 헛것이 보이기 시작했다. 하녀가 미음이라도 들고 들어오면 그는 헛소리를 했다.

"선녀님, 드디어 오셨군요. 보고 싶었습니다. 이리로 와 시 한 수를 들려 주십시오. 너무 보고 싶었습니다."

하녀는 놀라 뒤도 돌아보지 않고 달아났다. 부모님도 아들이 귀신에 홀린 것이라 생각하고 한숨만 내쉬었다. 그 뒤로 하인들은 홍생의 방 가까이에 가려 하지 않았다.

홍생의 어머니는 날을 새워 가며 지극 정성으로 아들을 간호했다. 달 밝은 밤이면 정한수를 떠 놓고 부처님께 빌곤 했다.

부모님의 노력에도 불구하고 홍생은 더욱 위독해져서 급기야 자리에서 일어나지 못하게 되었다.

자리에 누운 지 며칠 후, 홍생의 꿈 속에 한 여인이 나타났다.

'흰 옷을 입고 서 있는 저 여인은 어디서 본 듯한데……'

홍생이 기억을 더듬고 있는데 여인이 다가와 말을 걸었다.

"부벽정 정자에서 있었던 일을 기억하십니까? 저는 그 때 아가씨를 모시고 있던 시녀입니다. 얼굴이 많이 상하셨군요. 저는 아가씨의 심부름으로 이렇게 선비님의 꿈 속에 나타난 것입니다. 저희 아가씨도 선비님과 헤어진 뒤로 방황하며 번민하고 계십니다."

홍생은 꿈 속에서나마 선녀의 시녀를 만나자 기쁨을 감출 길이 없었다.

"아가씨는 선비님의 훌륭한 글 솜씨를 옥황상제님께 말씀드렸습니다. 그리고 선비님을 하늘나라에서 살게 해 달라고 애원했습니다. 옥황상제님은 인간 세상의 선비님이 살고 있는 집을 눌러보셨습니다. 선비님의 아가씨를 향한 사랑을 확인하시고 기특히 여겨 아가씨의 소원을 들어 주셨습니다. 그래서 선비님에게 견우성의 관리로 벼슬을 내렸답니다. 아가씨는 기뻐서 어쩔 줄을 모르고 급히 선비님을 모셔오라 하셨습니다."

홍생은 바라던 바가 이루어져 어쩔 줄을 몰랐다.

"이제야 내 뜻이 이루어졌구려. 선녀님이 계신 곳으로 가겠습니다. 잠시 부모님께 하직 인사를 하고 올 테니 잠시 기다려 주시오."

그가 자리를 걷고 일어나려는 순간 잠이 깨고 말았다.

간밤의 꿈은 홍생의 미래를 예견하는 듯했다. 그는 하인을 불렀다.

"밖에 누가 없느냐?"

다 죽어 가는 도련님의 방에서 우렁찬 목소리가 들려오자 급히 하인이 대령했다.

"도련님! 찾으셨습니까? 몸은 어떠신지요? 마실 것과 미음을 갖다 드릴까요?"

"우선 방을 깨끗이 청소하고 씻을 물을 데워라. 그리고 새옷 한 벌을 내 방에 갖다 놓거라."

"예, 그렇게 하겠습니다."

홍생은 몸을 정갈히 한 후에 부모님을 찾아뵙고 큰절을 올렸다.

"아버님, 어머님, 지금부터 소자의 말을 잘 들어 주세요. 부모님을 두고 먼저 세상을 떠나자니 눈물이 앞을 가립니다. 하지만 사람에겐 정해진 운명이 있다고 합니다. 저는 옥황상제님의 부름을 받아 좋은 곳으로 가 잘 지낼 것입니다. 그러니 마음 편히 지내십시오."

부모님은 홍생의 말을 듣고 기가 막혔다. 하지만 이 세상에 미련이 없다는 아들의 말을 듣고 조용히 보내 주자는 결정을 내렸다.

안채를 나와 제 방으로 돌아온 홍생은 하인을 시켜 뜰에 돗자리를 펴게 했다.

그는 돗자리에 앉아 잠깐 생각에 잠겼다. 아마도 이승에서의 작별 인사를 마음속으로 하는 모양이었다. 그리고는 허리를 펴고 다리를 모으고 자리에 누웠다.

그의 얼굴은 그 동안의 고통을 벗어난 듯 평안해 보였다. 잠시 후, 그의 몸 속에서 혼이 빠져 나와 하늘로 훨훨 날아올랐다. 홍생은 그토록 그리던 달 속의 선녀를 만나러 갔다.

죽은 지 며칠이 지났지만 홍생의 모습은 살아 있는 그대로였다.

"꼭 살아 있는 사람 같네. 신선이 되어 하늘나라로 갔다는 말이 정말인가 봐. 살아 생전에 남에게 해 한 번 안 끼치며 착하게 살더니, 좋은 데로 갔을 게야."

"맞아, 그랬을 거야."

사람들은 입을 모아 얘기했다.

그 뒤 홍생의 부모님은 그의 무덤을 부벽정 정자 옆에 마련하였다. 그 후로 부벽정은 달 밝은 밤이 되면 선녀와 신선이 내려와 놀다 가곤 하였다.

남염부주지

구리와 쇠로 된 나라

'이번에도 또 떨어졌구나. 부모님을 뵐 면목이 없네. 이대로 어디 가서 죽어 버릴까? 아니, 아니야. 사내 대장부로 태어났으면 한 나라의 왕은 못 되어도 훌륭한 관리가 되어서 뜻을 펼쳐야지. 암, 그렇고말고. 그 때까지 참고 다시 학문을 닦으리라.'

벽에 붙어 있는 명단에 자신의 이름이 없음을 알고 어깨가 축 늘어져 돌아서는 한 선비가 있었다.

조선 세조 11년, 경주 땅에 사는 박씨 성을 지닌 선비가 바로 그였다. 박 선비는 학문에 뜻을 두고 성균관(조선 시대 최고의 교육 기관)에 들어가 과거 시험을 준비했으나 결과가 좋지 못했다.

"저 사람은 자존심만 강해서 권세 있고 돈 있는 사람을 우습게 본다는군. 세상의 부귀영화를 벌레 보듯 하는 사람이 왜 과거는 보려고 하는지 모르겠어. 괜히 부러워서 심술을 부리는 게지."

심성이 곧은 박 선비는 권세와 돈이 있다고 해서 약한 사람을 깔보는 자들을 못마땅하게 여겼다. 그런 일이 있으면 물불 안 가리고 바른말을 하는지라 세도가들에게 미움을 샀다.

"여보게, 저기 박 선비가 지나가네. 참 훌륭한 사람이야. 대나무는 부러질지언정 휘지는 않는다고 하네. 박 선비는 참 대쪽같이 곧은 인물이야. 지금은 과거에 낙방했지만 조만간 꼭 장원급제할 걸세. 내 장담하지."

"암, 그렇고말고. 저런 선비가 장원급제 못 하면 누가 한단 말인가?"

그는 유학을 공부하는 선비였지만, 세상 사람들이 믿는 귀신과 무당 등에도 관심이 많았다.

'사람들은 지옥과 천당이 있다고 믿는데, 그게 사실일까? 또, 귀신은 정말 있을까? 무당의 말은 믿어도 되는 걸까?'

박 선비는 자신에게 끊임없이 묻고 답하고 궁금한 것은 책을 찾아보거나 직접 사람들에게 물어 보았다. 그는 《사서삼경》, 《주역》 등 도움이 될 만한 책은 모조리 읽어 내려갔다.

그는 또한 덕망 있는 스님들과 이야기 나누는 것을 좋아했다. 죽은 뒤의 세계를 알아보는 것은 그에게 너무나 신비스러웠다.

하루는 친분이 있는 스님과 얘기를 나누고 있었다.

"선비님은 사람들이 말하는 천당과 지옥에 대해 생각해 보신 적이 있습니까?"

"물론입니다. 하지만 실제로 존재한다고는 생각지 않습니다. 하늘과 땅이 음과 양으로 나뉘었는데, 그 외에 또 다른 세계가 어떻게 존재한단 말입니까?"

스님은 조심스레 말문을 열었다.

"그렇지 않소. 세상의 이치를 보면 알 수 있소. 선한 사람에게는 복이 내려지고, 악한 자에게는 반드시 벌이 따르오."

박 선비는 '일리론'(한 가지 이치를 논함)을 내세워 종교의 독단에 빠지는 것을 경계했다.

그가 주장하는 '일리론'의 내용을 간단히 말하면 다음과 같다.

옛 성인들의 말을 따르면, 천하의 이치는 오직 한 가지뿐이라고 했다. 그것은 결코 둘이 될 수 없으며 이치는 곧 천성을 말하는 것이다. 천성은 각자 태어날 때부터 가지고 있는 품성이다.

하늘이 음양과 오행(우주를 움직이는 다섯 가지 기운으로 금, 목, 수, 화, 토)으로 만물을 만들 때 기운은 모양을 만들고 이치로 속을 이루었다. 또한 사물이나 사람이 살아가는 기본적인 섭리가 곧 이치이기도 하다.

부모와 자식 사이에는 절친함이 있고, 부부와 윗사람과 아랫사람은 각자 지켜야 할 도리가 있다. 이것을 도라고 한다. 이러한 이치는 우리들의 근본이 되는 것으로 이를 따르면 어디서나 마음이 편안하고, 이치를 거부하면 재난이 있을 것이다. 이치를 찾아서 연구하고 도리를 따르며 무슨 사물이라도 꾸준히 연구하여 학문과 지식의 세계를 넓혀 나가야 한다.

온 세상의 모든 것이 이치로 이루어졌으니, 마음의 잡념이 없어지면 신비로운 이치를 깨닫게 된다. 세상의 이치는 사물을 연구하여 결론의 길을 알아 내는 데서 발견된다. 따라서 이치를 생각하는 사람들의 마음 속에도 당연히 들어 있다.

　사람이란 원래 타고난 이치대로만 살면 귀신을 두려워하지 않고, 무당을 필요로 하지 않으며 하늘이 무섭지 않게 된다. 그러므로 천하에 두 가지 이치는 없다.

　스님들이 말씀하시는 삶과 죽음의 경지를 떠난 세상 밖의 세계를 믿을 수 없다.

　박 선비는 자신의 주장을 굽히지 않고 그것을 믿고 있었다. 그 날도 그는 일리론에 심취되어 시간 가는 줄 모르고 책을 읽고 있었다. 그러다 갑자기 밀려 오는 졸음으로 글자가 보였다 안 보였다 했다. 책상 위에 쓰러져 잠이 든 그는 깊은 꿈 속으로 빠져들었다.

　한참을 이리저리 헤매다가 그가 발길을 멈춘 곳은 바다 한가운데에 있는 이름 모를 섬이었다.

　'내가 지금 어디에 와 있는 걸까? 아니 이건……."

　그가 서 있는 곳에는 나무와 흙이라곤 찾아볼 수 없었다. 보이는 것은 온통 구리와 쇠뿐이었다. 갑자기 얼굴로 불똥이 튀었다.

　"앗, 뜨거워!"

　박 선비는 얼굴을 손으로 가리면서 소리쳤다. 그 곳에는 불기둥이 곳곳에 솟아올라 있었다. 불기둥은 시뻘겋게 달아올라 무엇이라도 삼킬 기세였다.

　밤이 되니 그 뜨겁던 불길은 사라지고 세찬 바람이 불어 왔다. 뼛속까지 시릴 정도로 매서운 추위였다. 박 선비는 얇은 옷깃을 여미고 앞으로 걸어갔다.

　언덕 위로 올라가 아래를 내려다보니 쇠로 된 벼랑이 마치 성벽처럼

빙 둘러져 있었다. 이 곳에 들어오면 누구라도 빠져 나갈 수 없을 것 같았다.

'하, 기가 막힐 노릇이네. 여긴 죽어서도 나갈 수 없는 곳이 아닌가?'

박 선비는 눈 아래 보이는 큰 철문으로 발길을 돌렸다. 철문 중앙에는 아무도 열지 못할 커다란 자물쇠가 채워져 있었다. 그 양 옆으로 두 명의 문지기가 보였다. 그들의 얼굴은 너무나 험상궂어 말 걸기가 두려웠다. 게다가 양 손에는 날카로운 창과 뾰족한 쇠방망이를 들고 있어 무시무시해 보였다.

철문 주위로는 마을이 있었다. 집은 모두 쇠로 만들어진 것들뿐이었다. 그 집에서 살고 있는 사람들은 몹시 괴로워 보였다. 한낮에는 쇠가 달구어져 뜨겁고 밤에는 쇠가 식어 추위로 고생했다.

이곳 저곳을 두리번거리던 박 선비는 문지기와 눈이 딱 마주쳤다.

"뭐 하는 놈이냐? 왜 이리저리 기웃거리고 다니느냐?"

문지기의 우렁찬 소리에 놀란 박 선비는 뒤로 흠칫 물러섰다.

"소인은 조선의 경주 땅에 사는 박 선비옵니다. 어떻게 이 곳까지 오게 됐는지는 저도 잘 모르겠습니다. 여기는 보통 사람들이 사는 곳 같지 않습니다. 그래서 궁금하여 여기저기 둘러보는 중이었습니다. 실례를 했다면 용서하십시오."

박 선비는 두려운 마음에 코가 땅에 닿도록 엎드려 싹싹 빌었다.

"선비의 몸으로 부끄럽지 않소? 선비란 아무에게나 무릎을 꿇지 않는 법이라 들었소. 어서 일어나시오."

생긴 것과는 다르게 인간의 예법을 잘 알고 있는 문지기에게 창피를 당한 박 선비는 당황하였다.

"이 나라 대왕께서는 당신 같은 선비를 기다리고 있었소. 속세에서는 우리들에 대해 잘못 알고 있는 것이 너무나 많소. 그래서 학문에 능

한 학자를 만나, 동국(조선) 사람들에게 전해 줄 이야기를 전달하려고
오래 전부터 기다려 왔소. 이제 그 때가 온 것 같소. 대왕님께 알려
드리고 나올 테니 여기 계시오."

문지기가 안으로 들어가자 박 선비는 그제야 안도의 한숨을 몰아쉬었
다. 잠시 후 문지기가 나왔다.

"대왕께 당신의 일을 말씀드렸습니다. 대왕께서는 기뻐하시고 어서
궁전 안으로 모셔오라 합니다. 내 한 가지 일러 줄 말이 있습니다. 대
왕 마마 앞이라고 해서 거짓으로 좋은 말만을 하셔서는 안 됩니다.
선비님의 주관과 믿음을 가지고 대화를 나누어야 합니다. 그래야지
여러 사람들이 은혜를 입을 수 있습니다. 부디 내 말을 명심하시기
바랍니다."

문지기가 자기 자리로 돌아가고 뒤이어 검은색과 흰색 옷을 입은 사

내아이 둘이 나타났다. 그들의 손에는 책 두 권이 들려 있었다.

검은 종이에 푸른 글씨가 적혀 있는 책과 흰 종이에 붉은 글이 적혀 있는 책이었다.

"선비님! 두 권의 책을 펼치십시오. 먼저 푸른 글씨가 씌어 있는 책을 넘겨 선비님의 이름을 찾아보십시오."

박 선비는 동자가 시키는 대로 책장을 한장 한장 넘겼다. 마지막 페이지가 보이자 그는 왠지 손이 떨려 오며 긴장이 되었다.

'이런, 이 책에는 내 이름이 없네. 다행스러운 것인지 불길한 것인지 알 수가 없구나.'

"박 선비님! 이제는 다른 쪽의 책을 살펴보시기 바랍니다."

잠깐 생각에 잠긴 그는 동자의 부르는 소리에 퍼뜩 정신을 차렸다. 행여 한 장이라도 빠질세라 조심조심 책장을 넘기던 그는 손가락을 멈췄다.

"있다, 있어. 여기 조선국 경주 박생이라고 적혀 있질 않나? 그런데……."

자신의 이름이 붉은 글씨로 적혀 있는 것을 본 박 선비는 동자를 향해 소리치다가 말을 멈추었다. 기뻐해야 할지 슬퍼해야 할지 도무지 감이 오질 않았다.

동자는 박 선비의 기분을 짐작했는지 그 다음 글을 읽어 보라고 손짓했다.

이 사람은 속세에서 죄를 짓지 않고 살았기에 이 나라 사람은 될 수 없다.

박 선비는 그제서야 안도의 숨을 내쉬었다.

"이 책들을 나에게 보이고 확인시켜 준 이유가 무엇이오?"

"지금부터 말씀드리겠습니다. 처음에 보신 푸른 글씨의 책은 악한 사람들의 명부입니다. 그리고 선비님의 이름이 올려져 있던 붉은 글씨의 책은 선한 사람들의 명부입니다. 국왕께서는 사람들을 만나 보기 전에 이 책들을 확인하신답니다. 사람들이 하도 많은지라, 그들을 일일이 만나 그 사람됨을 알아볼 수는 없는 까닭입니다. 그래서 인간 세상에서의 행적을 적은 내용을 보고 이 명부에 선인과 악인으로 구분해 둔 것입니다."

동자의 설명을 듣고 있으니 이해가 가는 듯했다.

"대왕께서는 악인은 천한 취급을 하지만, 선인 명부에 있는 사람들을 만나면 예를 갖추어 정성껏 대하십니다. 선비님도 대왕님께 예의를 갖추십시오."

동자가 주의 사항을 다 일러 주자, 화려하게 치장한 마차 한 대가 도착했다. 그 위에는 동자 여러 명이 부채와 양산을 들고 있었고, 뒤로는 창과 방패를 든 병사들이 호위하며 따랐다.

"저희들은 선비님을 모시러 온 동자들입니다. 만나 뵙게 되어 반갑습니다. 어서 마차에 오르십시오."

"고맙습니다."

박 선비가 마차에 오르자 동자들은 서둘러 햇볕을 가리고 부채질을 했다. 박 선비는 편안히 마차를 타고 가면서 주위를 둘러보았다.

단단한 쇠로 만든 철벽은 세 겹이나 둘러 있고, 앞으로는 황금산이 위치한 곳에 크고 화려한 궁전이 보였다. 그 한쪽으로 보기만 해도 불똥이 될 것 같은 시뻘건 불기둥이 활활 타오르고 있었다.

시뻘건 불기둥의 옆으로 난 길을 사람들이 지나가고 있었다. 뜨거운 불에 녹아내린 쇳물과 구리로 뒤덮인 그 길을 무표정하게 밟고 다니고 있었다.

'저 사람들은 이제 이 곳에 익숙해져 있나 보군. 나 같으면 잠시도 못
견딜 텐데.'

마차가 달리고 있는 길은 박 선비가 속세에서 보아 왔던 길과 다름없
었다. 주변 경치를 구경하느라 정신 없이 달려온 마차가 어느 새 속도
를 줄이기 시작했다.

"선비님, 이제 다 와 갑니다. 조금만 더 가면 궁전이 보입니다."

곧이어 궁궐에 도착한 그들은 안으로 그를 안내했다.

그 곳은 대왕이 사는 곳이라 조금 더 화려한 것을 빼면 인간 세계와
비슷했다. 물고기들이 놀고 있는 연못, 나무와 꽃들로 둘러싸인 누각 등
주변 풍경이 속세와 다름없었다.

궁전 안에서 시녀인 듯한 아름다운 여인 두 명이 나와 공손히 인사를
했다. 박 선비는 시녀가 이끄는 대로 대왕이 거처하는 곳으로 갔다.

"박 선비, 먼 길 오느라 수고했소."

대왕은 머리에 왕관을 썼으며, 허리에는 옥으로 만든 옥대를 찼다. 그
리고 온화한 미소로 박 선비를 맞아 주었다.

박 선비는 급히 무릎을 꿇고 허리를 굽혀 절을 올렸다. 그리고는 감
히 얼굴을 들지 못하고 인사말을 했다.

"괜찮소. 편하게 있으시오. 그대와 사는 곳이 다르고, 지위가 높다고
해서 힘으로 눌러 굴복시키진 않소. 더욱이 이치를 아는 선비 앞에
서……."

대왕의 인자함에 마음을 누그러뜨린 박 선비는 대왕이 권하는 대로
자리에 앉았다. 그 자리는 대왕의 옆자리로 금과 옥으로 치장한 귀한
의자였다.

"여봐라, 다과상을 봐 오너라."

시녀들은 명령이 떨어지자 차와 과일을 내 왔다. 박 선비는 이것을 보고 깜짝 놀랐다.

'앗! 마시는 차는 열에 녹은 쇳물 같고, 과일은 마치 쇳덩어리 같구나. 저걸 먹어야 하나? 이를 어쩌지?'

박 선비는 대왕님의 권유로 마지못해 차를 한 모금 마셨다. 의외로 향기가 은은했다. 그는 과일 하나도 덥석 집어 들었다. 입 안에 퍼지는 상큼한 맛이 입맛을 당겼다.

"그대는 이 곳이 어딘지 짐작하시오?"

"모르옵니다. 단지 인간 세상은 아닌 것 같습니다."

대왕은 얼굴에 미소를 띤 채 말했다.

"여기는 염부주라고 하오. 사람들은 남쪽에 있다고 해서 남염부주라고도 부른다오."

박 선비는 눈앞이 캄캄하고 두 손이 바르르 떨렸다. 왕은 박 선비의 새하얗게 질린 얼굴을 못 보았는지 설명을 계속했다.

"염부주라고 부르는 것은 세찬 불길이 항상 활활 끓어오르기 때문이오. 사람들은 이 곳의 왕인 나를 염라대왕이라고 하지요. 그것은 불꽃이 내 몸 주위를 감싸고 있기 때문이오. 일만 년이란 긴 세월 동안 통치를 하다 보니 마음만 먹으면 못 하는 일이 없게 되었소."

무슨 짓이든지 할 수 있다는 대왕의 말에 박 선비는 덜컥 겁이 났다.

"대왕님께서는 귀신에 대해 알고 계십니까?"

"세상 사람들이 알고 있는 대로입니다. 귀란 어두움의 영이고, 신이란 밝음의 영혼이오. 세상에 태어났을 때는 인간이라 하고, 죽은 뒤에는 귀신이라 합니다. 그것은 결국 하나라고 할 수 있소."

"속세에서 지내는 제사는 귀신을 위한 것입니다. 사람이 죽어 되는 귀신과 조화를 부리는 귀신은 무엇이 다릅니까?"

박 선비는 그 동안 궁금했던 것들을 마음껏 물어 보았다.

"인간 세상에서는 귀신을 둘로 나누어 본다고 들었소. 하지만 그렇지 않소. 귀신은 소리도 없고 그 모습도 보이지 않는다고 하지 않소. 음과 양이 만나 섞이면 만물이 생겨나는 것이고, 흩어지면 만물은 없어지는 것이오. 귀신에게 제사를 지내는 것은 음양의 조화를 믿고 따르기 때문이오. 선조들께 제사를 지내는 것은 내 존재에 대한 고마움에 보답하기 위함이고, 다섯 신(동서남북과 중앙의 방위를 지키는 신)을 섬기는 것도 재앙을 막아 달라는 뜻에서요."

박 선비는 지금까지 자신이 궁금해하던 의문들이 하나하나 풀리자 무척 기뻤다.

"속세에는 간혹 요물들이 나타나 사람들을 못살게 하는데, 이것들도 모두 귀신입니까?"

"귀란 굽힘을, 신은 편다는 뜻이오. 요물들은 억울하게 죽은 한이 맺혀 굽히지도 펴지도 못합니다. 조화의 신은 시작부터 끝까지 맺힌 것이 없어 그 자취가 없습니다. 하지만 요물들은 원한이 많기 때문에 사람들을 원망하며 괴롭힌답니다. 산에 사는 요물을 초라 하고, 물에 사는 요괴는 역, 계곡에 사는 괴물은 용망상, 나무와 돌의 요물은 기망량이라 합니다. 또 남을 괴롭히는 요괴는 마, 물건에 붙어 사는 요괴는 요, 만물을 유혹하는 요괴는 매라 하는데 이들은 모두 귀신입니다. 음양의 조화를 마음대로 하는 것이 신이니, 이것은 묘한 작용을 한답니다. 사람과 하늘이 같은 이치이고, 눈에 보이는 것과 보이지 않는 것은 간격이 없으므로 근본으로 돌아가는 것을 정, 하늘의 뜻을 회복하는 것을 상, 보이지는 않으나 조화의 자취를 도라고 합니다."

염라대왕은 박 선비가 궁금해하는 것을 짜증내지 않고 하나부터 열까지 자세히 가르쳐 주었다.

염라대왕의 과거

"불교에서는 하늘에는 극락이 있고, 땅 밑에는 지옥이 있다고 합니다. 그리고 죽은 사람이 가는 염라국에는 열 명의 왕이 죄인들에게 벌을 내린다고 하는데 사실입니까? 사람이 죽은 지 7일 뒤에 절을 찾아가 정성껏 제사를 지내고 공양을 하면 극락으로 간다고 합니다. 또 저승길에 노잣돈만 넉넉히 넣어 두면 살아 생전에 죄를 많이 짓고도 용서받을 수 있다고 하는데 정말인지요?"

염라대왕은 박 선비의 넉살 좋은 질문에 흠칫 놀랐다.

"말도 안 되는 얘기요. 옛 말에 이르기를 하나의 음과 하나의 양을 도라 하고, 한 번 열림과 한 번 닫힘을 변이라 했소. 또 이 세상에 태어나서 살아 있는 것을 역이라 했소. 그런데 어찌 하늘 밖에 하늘이 있고, 땅 밖에 또 땅이 있겠소? 무릇 왕이란 것은 모든 백성의 어버이요. 인간 세상에서는 진나라 이후 왕을 황제로 부르면서 왕의 명분이 어지러워지고 권위도 떨어졌소. 속세에서는 나라마다 왕이 존재하지만 신의 세계에서는 존엄함을 최고로 하니 어찌 한 지역에 여러 명의 왕이 있을 수 있겠소? 하늘에는 해가 둘 있을 수 없고, 한 나라에는 왕이 둘 있을 수 없다는 말을 모르십니까?"

왕의 되물음에 박 선비는 움찔하며 고개를 숙였다. 염라대왕이 말을 계속하였다.

"살아 생전의 죄를 용서 받기 위해 노잣돈을 태운다는 이야기는 처음 듣는 일이오. 또 죽은 후 재를 올려 극락으로 간다는 것은 무슨 뜻이오? 참으로 망측한 일이오. 선비께서 생각하시는 바를 말씀해 주시오."

"세상 사람들은 효를 근본으로 삼고 있습니다. 그래서 부모님이 돌아가시면 49일째 되는 날 절에 가서 재를 올립니다. 지위가 높고 낮음에 상관 없이 말입니다. 돈 있는 사람들은 넉넉하게 재물을 쓰고, 그렇지 못한 사람들은 논과 밭을 팔아서라도 절의 스님들에게 공양을 한답니다. 스님들은 좋은 옷을 입고, 무슨 소린지 알아들을 수 없는 염불을 합니다. 거기에 무슨 뜻이 담겨 있겠습니까? 상주가 일가 친척이라는 친척은 다 불러 모아 절간은 마치 잔칫날 같습니다. 그들 중엔 죽은 자의 명복은 빌지 않고 살아 있는 자기 가족들에게 복을 내려 달라고 손이 발이 되도록 비는 자들도 있습니다. 또, 저승에 있는 열 명의 왕을 초대하여 크게 제사 지내고, 지전을 불살라 지은 죄를 속죄한다고 합니다. 앞으로는 저승의 왕들을 위하여 재를 올린다고 하면서, 뒤로는 자기 욕심만 차리는 자들입니다. 이것이 인간 세상입니다. 이리하면 정말 죄를 용서받을 수 있는지요?"

박 선비의 얘기가 길어질수록 염라대왕의 얼굴은 점점 더 일그러져 갔다.

"아, 어쩌면 좋단 말인가? 내가 인간 세상의 일을 너무도 몰랐구나. 태어나면서부터 남자와 여자가 정해져 있소. 땅이 곡식을 자라게 하듯 임금은 법으로 나라를 다스리고, 스승은 제자를 올바른 길로 인도하며, 부모님은 자식을 사랑으로 기르는 것이오. 인간이 지켜야 할 도리 중에 삼강 오륜이 있소. 이를 잘 지키면 복이 오지만 그렇지 않을 경우 큰 화가 닥칠 것이오. 속세의 인간들이 이를 외면하고 딴 짓만 하고 있으니 큰일이오."

염라대왕의 한숨 소리에 땅이 꺼질 듯하였다.

"사람이 죽으면 정신과 기운이 흩어져 근본으로 돌아갑니다. 하지만 억울한 죽음을 당하였거나 제 명대로 살지 못한 자들은 원귀가 된다오. 그들은 여기저기 떠돌아다니다가 원한진 곳에 가 심술을 부리기도 하고, 들이나 산에서 슬피 울기도 한답니다. 또 무당에게 나타나 억울한 일을 하소연하거나, 점쟁이를 통하기도 합니다. 그래야만 명부에 모습을 나타낼 수가 있습니다. 제사를 지낸다고 하는 것은 몸가짐을 정결히 하는 것인데, 저승의 왕이 돈을 바라고 요구한다는 것은 이치에 맞지 않는 일입니다. 세속의 욕심을 버리신 부처님께서 속세의 공양을 어떻게 받을 수 있으며, 저승의 왕이 죄 많은 자의 뇌물을 받고 어찌 죄를 용서할 수가 있습니까?"

염라대왕은 선비들이 어리석은 백성들을 이끌어 주지 못함을 꾸짖는 듯했다. 박 선비는 무안하기도 했지만, 얼른 또 다른 질문을 했다.

"불교에서 말하기를 사람은 삶과 죽음을 반복한다고 합니다. 죽은 뒤 다음 세상에서 좋은 곳에 태어나기 위해 선량하게 살아야 한다고 강조합니다. 윤회설에 대해 말씀해 주십시오."

"정신이 나뉘어 흩어지지 않으면 윤회의 길이 열려 있는 것 같지만 오래 지나면 정기가 흩어져 없어지고 맙니다."

박 선비는 자신이 속세에서 평소 궁금하게 여겼던 것들을 대강 물어본 듯했다. 간혹 염라대왕은 당황스러워하는 듯한 부분도 있었지만 솔직하게 숨김없이 대답해 주었다.

"대왕님, 소인 같은 하찮은 인간에게 그와 같이 자상하게 대답해 주시니 뭐라 감사의 말을 드려야 할지…… 소인 한 가지 더 궁금한 게 있는데 대답해 주시겠습니까?"

"무슨 소리요? 지루하고 긴 내 나라의 이야기를 들어 주신 선비님께 오히려 감사의 인사를 드려야지요. 아직도 궁금한 것이 있나 본데, 물어보시오. 내 답해 드리리다."

"이 곳의 왕이 되신 경위를 듣고 싶습니다."

"어허, 염라국의 왕이 된 사연을 듣고 싶다고……."

잠시 주저하는 왕을 본 박 선비는 쓸데없는 질문을 한 것이 아닌가 하는 생각이 들었다.

"모든 것을 얘기하며 여기까지 온 이상 내가 무얼 더 숨기겠소. 그렇지, 궁금할 것이오. 왜 하필 염라국의 대왕이 됐는지…… 그러자면 내 과거 이야기부터 해야겠군."

왕은 눈을 지그시 감고 이승의 일을 회상했다.

그는 도둑을 잡고 백성들을 보살피는 포도대장이었다. 그는 그 일을 천직으로 삼고 온 힘을 바쳐 일했다. 그는 항상 이렇게 다짐했다.

'죽어서도 왕과 백성들의 안전을 위해 남의 것을 탐내고 훔쳐 가는 놈들을 잡을 것이야.'

늘 마음속으로 되뇌며 일했지만, 늘어만 가는 도둑놈들을 다 소탕할 수는 없었다.

'휴우, 한도 끝도 없구나. 한 도둑놈을 잡으면 새 도둑놈이 배로 늘어나니…….'

포도대장은 자신이 무언가 잘못 알고 있음을 깨달았다. 그것은 사회 제도의 모순이었다. 도둑들은 예전에는 모두 순한 백성들이었다. 부자는 점점 돈이 많아지고 가난한 사람들은 갈수록 생활이 비참해져 결국은 남의 것을 훔치고 만다. 백성들의 생활이 안정되면 이런 악순환은 없어질 것이다. 그는 도둑을 없앨 수 있는 근본적인 방법을 생각해 보았으나, 혼자의 힘만으론 불가능했다.

하루는 왕이 포도대장을 불러 호통을 쳤다.

"여봐라, 도대체 어찌 된 일이냐? 갈수록 도적들이 늘어만 가니…… 그대는 무얼 하고 다닌단 말이냐? 백성들은 불안에 떨고 나라 안은 온통 무법자의 세상이니…… 쯧쯧쯧."

"죽을 죄를 지었습니다. 소인이 못난 탓입니다. 앞으로 석 달 동안 도둑들을 모두 잡아들여 상감 마마의 걱정을 덜어 드리겠습니다."

포도대장은 얼떨결에 약속을 하고 말았다.

"이제까지 그대를 신임했으니 마지막이라고 생각하고 한 번 더 믿어 주지. 하지만 약속을 어겼을 때는 각오하라. 내 그 땐 가만 두지 않을 것이다."

왕 앞을 물러나온 포도대장은 눈앞이 캄캄했다.

'아, 무슨 수로 석 달 동안 도둑놈들을 다 잡아들인단 말인가? 이젠 내 목을 내놓는 일만 남았구나. 하지만 그 날까지 내 임무에는 충실해야 한다.'

포도대장은 죽기 살기로 도둑의 뒤를 쫓아다녔다. 그러나 시간을 붙들어 맬 수는 없었다.

시간은 흐르는 물처럼, 나는 화살처럼 흘러갔다.

도둑들은 포도대장이 나타나면 서로 신호를 해 깊은 산 속으로 숨어 버리고, 다시 나타나 집을 불태우고 재물을 훔쳐 갔다.

드디어 왕과 약속한 날이 밝아 왔다. 포도대장은 왕 앞에 머리를 조아렸다.

"네 이놈, 네 죄를 네가 알렷다. 입이 있으면 어디 말해 보거라."

"상감 마마! 소인 제 할 일을 다 하지 못하고 떠나는 것이 한스러울 뿐입니다. 죽여 주시옵소서!"

왕은 잠시 분노를 진정시키고 포도대장을 내려다보았다.

"짐을 속인 죄는 벌을 받아 마땅하다. 그러나 그대의 충성심과 공적은 가히 칭찬할 만하다. 그래서 내가 세안을 하나 하겠다. 그대는 항상 죽어서라도 도둑을 잡겠다고 했으니, 남염부주에 다시 태어나 죄인들을 다스리는 왕이 되거라."

박 선비, 왕이 되다

생전의 왕의 배려로 염라대왕이 된 사정을 듣게 된 박 선비는 시간 가는 줄도 몰랐다.

"대왕께서는 여기의 수많은 죄인들을 어찌 이끌고 나가십니까?"

"이 곳의 백성들은 속세에서 큰 죄를 지은 자들이지만, 이 곳에 와서 착실하게 살려고 노력하고 있소. 이들을 다스리려면 왕이 먼저 예의와 법도를 지켜야 합니다. 박 선비는 인간 세상에서 예의가 바르기로 소문이 자자하다 들었소. 또한 정직하고 재물을 탐내지 않으며, 학문이 깊다고 말이오."

박 선비는 대왕의 칭찬에 몸둘 바를 몰랐다.

"그러나 그 뜻을 제대로 펼쳐 보지 못했으니, 옥이 더러움에 가려져 있는 것과 같소. 여보시오! 나는 이제 운이 다해 여기를 떠날 때가 되었소. 또한 박 선비도 속세의 인연이 다한 것 같소."

염라대왕은 박 선비의 운명을 가르쳐 주었다. 화들짝 놀라는 박 선비를 외면한 채 말을 이었다.

"박 선비, 부탁이 있소. 내 뒤를 이어 여기를 다스려 주시오."

"뭐, 뭐라구요? 말도 안 됩니다. 미천한 제가 어찌······."

박 선비는 너무 놀라 말도 안 나왔지만 한편으론 전혀 생각이 없는 것도 아니었다.

'그래, 너무 갑작스런 일이긴 하지만 내 뜻을 펴 볼 수 있는 절호의 기회이지 않는가. 흉악한 죄인을 잘 다스려 깨우치게 하는 일이 얼마나 보람된 일인가.'

대왕의 몇 번에 걸친 설득으로 박 선비는 그 뜻을 받아들였다. 대왕은 그를 위해 큰 잔치를 베풀었다. 그들은 서로 술잔을 주고받으며 애기를 나누었다.

박 선비는 조선의 흥망성쇠를 대왕에게 들려 주었다. 대왕은 하나라도 놓칠세라 두 귀를 쫑긋하고 열심히 들었다.

"왕의 신분을 내세워 폭력으로 백성을 다스려서는 안 됩니다. 나라의 주인은 백성임을 명심하고 하늘의 뜻을 따라야 합니다."

박 선비의 얘기를 듣고 난 대왕은 대왕으로서 해야 할 것과 삼가야 할 것을 일러 주었다.

"백성들이 풍년을 기뻐할 때라도 하늘은 홍수와 가뭄을 내릴 때가 있소. 그것은 매사에 신중히 행동하라는 경고입니다. 또 간사한 무리들이 왕의 곁에 많으면 판단이 흐려져 백성들의 원망 소리가 들리지 않는 법이오. 이를 무시하고 백성들을 무력으로 누른다면 나라 안은 엉망이 될 것이오. 명심하시오."

대왕은 일러 줄 말을 마치고 잔치를 끝냈다. 대왕은 신하를 시켜 종이와 붓을 가져오라 했다.

그는 왕의 자리를 물려 준다는 글을 지어 박 선비에게 건네 주었다.

여기 염부주는 야만의 땅이다. 붉은 구름이 태양을 가리고 검은 안개가 하늘을 막아 목마르면 구리쇳물을 마시고, 배고프면 쇳조각을 먹어야 한다.

이 땅의 백성들은 거짓말을 잘 하고, 사납고 간사하다. 또한 지형이 험해 옛날 하나라의 성군 우왕(9년 동안 계속된 홍수를 다스리느라 중국 전 국토를 돌아다님)의 발자국 하나 없고, 목왕(여덟 마리 준마를 타고 천하를 돌아다님)의 말발굽 하나 보이지 않는다.

솟아오른 불기둥이 천 리까지 뻗어 있어 한번 들어오면 아무도 빠져 나갈 수 없다.

나는 오늘 백성들을 올바르게 이끌어 줄 분을 찾았다. 그는 조선에서 오신 박 선비님이다.

박 선비는 예와 도덕으로 백성들을 다스려 이 곳을 평화롭게 만들어 주시오.

나는 하늘의 뜻을 지켜 성군 요 임금과 순 임금의 가르침을 받아 이 자리를 그대에게 물려 주노라.

박 선비는 대왕이 건네 준 문서를 잘 간직하고 왕이 되는 예식에 참석했다.

"오늘 내 마음은 몹시 흡족하오. 여기 계신 여러분들도 새 왕을 맞아 이 곳을 살기 좋은 곳으로 만드는 데 힘써 주시오."

대왕의 손짓으로 박 선비가 신하들 앞에 나섰다.

"새 대왕님 만세, 만세!"

왕이 된 박 선비를 환영하는 뜻에서 신하들은 모두 축배를 들었다.

"고맙습니다, 여러분. 뼈와 살이 닳아 없어지도록 열심히 하겠습니다."

밤새도록 잔치가 벌어졌다. 다음 날 이른 아침, 대왕은 박 선비를 불렀다.

"마지막으로 집에 다녀오게. 하지만 잠깐 갔다 오는 걸세. 자네는 이 곳의 대왕이란 것을 잊지 말게. 그리고 이 곳에서 있었던 일은 비밀로 해 주게. 하지만 세상에 잘못 퍼져 있는 일들은 자네가 깨우쳐 가르쳐 주게."

박 선비는 큰절을 두 번 한 후, 문 밖에 기다리고 있던 마차에 올라탔다. 그런데 인간 세상을 향해 달리던 마차가 흔들 하면서 바퀴가 빠져 버리고 말았다. 마차에서 떨어진 박 선비는 비탈길 아래로 굴러 떨어졌다.

"악, 사람 살려!"

박 선비는 손을 허공에 내저으며 벌떡 일어났다.

주변을 둘러보니 책상 위에는 책이 널려 있고, 등잔불은 거의 꺼져 가고 있었다.

"아, 꿈이었구나! 그런데 왜 이리 생생한 걸까?"

그는 간밤에 있었던 일을 잘 정리해 보았다. 염라대왕과 나눈 이야기들, 자신이 염라국의 왕이 된 일 등은 그냥 넘기기엔 평범한 일이 아닌 것 같았다.

자신의 죽음을 예견한 그는 주변 정리를 시작했다.

몇 달 후, 박 선비는 병으로 몸져 눕고 말았다. 특별히 어디가 아픈 것도 아닌데, 거동을 할 수가 없었다. 친구들과 그를 아는 사람들은 그의 행동을 이상히 여겼다.

"박 선비가 이상해졌어. 자기 병은 자기가 안다고 하면서, 의원을 부르지도 않으니 말이야. 꼭 죽기를 기다리는 사람 같아."

그는 염부주를 다녀온 지 석 달 만에 세상을 떠났다. 주변의 사람들은 과거급제 한 번 못 해 보고 세상을 떠난 그를 안타깝게 여겼다.

옆집에 사는 김 선비는 박 선비가 세상을 떠나던 날 밤 꿈을 꾸었는데, 하얀 도복을 입은 신선이 나타나 이렇게 일러 주었다.

"이웃에 사는 박 선비는 염라국의 왕이 될 것이다."

용궁부연록

대들보에 올리는 글

송도의 유명한 명승지로는 하늘 가까이 솟아 있는 천마산이 있다. 이 산의 골짜기에는 폭포수가 흘러내렸는데, 바로 그 밑에 웅덩이 하나가 있었다. 표연이라 이름 지어진 그 못은 깊이를 알 수 없을 정도로 웅장 했다.

"저 쏟아지는 물살 좀 보게. 과연 웅장하구먼. 이 곳에 용왕님이 산다 는 말이 거짓은 아닐 게야."

"얼마나 깊은지 알 수 없다는군. 정말 장관일세. 이 곳을 지나갈 일이 있으면 다시 한 번 들러 보고 싶은 곳이야."

구경꾼들은 좀더 가까이에서 보려고 물살에 옷이 젖는 줄도 모르고 앞을 다투었다.

명절 때가 되면 나라에서도 소를 잡아 용왕님을 위로해 주었다.

오래 전 한생이라는 한 선비가 살고 있었다. 그의 글짓는 솜씨는 둘 째가라면 서러워할 정도로 뛰어났다. 그 소문은 궁궐 안팎으로 널리 퍼 져 그를 모르는 사람이 없을 정도였다. 그 날도 한생은 책읽기에 여념 이 없었다. 밤이 깊어 그만 책을 덮고 잠을 자려고 자리에 누웠다.

그런데 문 밖에서 무슨 소리가 들리더니 인기척이 났다.

"밖에 누가 왔소?"

방문에 그림자가 어려 있는데 아무 대답이 없자, 한생은 옷을 갖춰 입고 밖으로 나갔다. 뜰에는 푸른 옷에 두건을 쓴 사람들이 무릎을 꿇 고 있었다.

"당신들은 누구시오? 어찌 허락도 없이 남의 집에 와 있는 게요? 썩 나가시오."

"선비님, 놀라게 해 드려서 죄송합니다. 저희는 용궁에 사는 용왕님의 신하입니다. 용왕님께서 선비님을 모셔오라고 했습니다."

한생은 신하의 말에 뒤로 흠칫 물러났다.

"내가 무얼 잘못했단 말이오?"

신하는 한생이 대단한 문장가란 소문이 용궁까지 알려져 용왕님이 보고 싶어하시는 것이라고 간단히 일러 주었다.

"하지만 사람인 내가 어떻게 용궁으로 갈 수 있단 말입니까?"

그는 용궁을 구경할 수 있다는 말에 가슴이 설레었다.

"저희만 믿고 따라오시면 됩니다. 밖에 선비님께서 타고 가실 말을 준비해 두었습니다. 가시지요."

문 밖에는 옥으로 만든 굴레에 비단 띠, 황금 안장을 한 말 한 마리가 서 있었다.

또한 그 주위로는 붉은 띠에 비단옷을 입은 여러 신하가 대기하고 있었다. 그들은 한생에게 말 위에 오를 것을 권했다. 양산을 든 사람들이 길을 안내하고, 기악대가 그 뒤를 따랐다.

말이 하늘로 날아오르자 땅 위에 있는 모든 것이 개미처럼 조그맣게 보였다. 구름을 헤치며 날아가는 기분은 그 어디에도 비할 수 없었다. 문득 땅을 내려다보았다. 점처럼 보이던 것이 이제는 아무것도 보이지 않게 되었다.

푸른 옷을 입은 신하가 손짓을 하자 말은 울부짖으며 멈춰 섰다. 그곳에는 용궁으로 들어가는 커다란 문이 있었다. 문 앞에는 자라, 방게, 새우의 갑옷을 입은 문지기가 지키고 서 있었다.

그들은 허리춤에 칼을 차고, 한 손에는 긴 창을 들고 있었다. 축 처진 눈이 옆으로 길게 찢어져 보기에도 흉물스러웠다.

외모와는 달리 인간 세상에서 온 손님을 발견한 그들은 머리 숙여 인사를 했다.

"오시느라 고생하셨습니다. 궁 안에 기별을 했으니 잠시만 기다리십시오."

곧 동자 둘이 나와 용궁 안으로 모셨다. 동자 뒤를 따라가던 한생은 주변을 둘러보았다. 현관에는 함인지문(인자함을 지닌 문)이란 글자가 보였다. 벽은 금빛 찬란했고, 장식들은 용궁답게 진주로 된 것이 눈에 많이 띄었다.

"다 왔습니다. 들어가서 용왕님께 인사를 드리세요."

동자 둘이 화려하게 장식된 문을 양쪽에서 열었다. 용왕은 눈부신 장식이 달린 금관을 머리에 쓰고 있었고, 허리에는 크고 번쩍이는 칼을 차고 있었다.

"어서 오십시오. 기다리고 있었습니다. 이쪽으로 앉으십시오."

용왕은 위엄 있는 목소리로 옥으로 만든 의자에 앉기를 권했다.

"그럴 수 없습니다. 보잘것없는 선비가 어찌 용상에 앉겠습니까?"

한생은 손을 내저으며 거절했다.

"선비님의 명성은 오래 전부터 들어왔습니다. 오늘 용궁으로 모시게 되니 기쁘기 한량 없습니다. 내 성의로 생각하고 편히 앉으십시오."

한생은 용왕의 마음 씀씀이가 고마워 자리에 올랐다. 그가 자리에 앉는 것을 본 용왕은 무지갯빛의 보석으로 만든 의자에 앉았다.

이 때 밖에서 동자가 들어와 누가 왔음을 알렸다.

그리고는 금빛 찬란한 마차를 타고 몸종을 거느린 일행이 나타났다. 세 사람 모두 붉은빛이 도는 도포를 입고 있었다.

그들은 용왕에게 먼저 절을 하고, 한생에게도 고개를 숙여 인사를 했

다. 한생은 의자 밑으로 내려와 인사를 하고 자리를 양보했다.

"처음 뵙겠습니다. 저는 인간 세상에 사는 한생이라고 합니다. 여러분들께서는 자리에 오르시지요."

"용왕님의 뜻을 거절하지 마십시오. 속세와 우리가 사는 세상은 서로 달라 신분의 높고 낮음을 구분짓는 것은 무의미합니다. 용왕님께서 뛰어난 문장가인 선비님을 알아보시고 그리하시는 것이니 사양하지 마시고 따르십시오."

한생은 하는 수 없이 용왕님과 손님이 권하는 대로 윗자리에 앉았지만 마음은 가시방석이었다.

각자의 자리가 정해지자, 용왕님은 차를 가져오게 했다.

손님들이 차를 마시는 도중에 용왕님이 말을 꺼냈다.

"사실은 선비님께 부탁이 있습니다만……."

한생은 용왕님이 말끝을 흐리자 궁금증이 더했다.

"제가 할 수 있는 일이라면 성심껏 도와 드리겠습니다. 주저하지 마시고 말씀하십시오."

"고맙소. 그럼 말씀드리리다. 내 밑으로 딸이 하나 있습니다. 곧 시집 갈 나이가 됐는데, 사위를 접대할 마땅한 장소가 없습니다. 그래서 누각 하나를 지어 주려고 합니다. 누각 이름도 벌써 지어 놓았습니다. 아름다운 모임을 갖는 집이란 뜻으로 '가회각' 이라고 했습니다. 집을 지을 목수, 목재, 석재도 모두 준비했습니다. 그런데 한 가지 상량문(대들보를 올릴 때 축하하는 글)이 빠졌습니다. 사람을 시켜 알아보았지만 그 글을 지어 줄 마땅한 사람이 없었습니다."

한생은 대충 짐작이 갔다.

"그래서 한 신하가 내 고민을 알고 당신을 추천해 주었소. 선비님은 인간 세상에서 제일 가는 문장가라고 말이오. 그래서 급히 사람을 보내어 모셔오게 한 것입니다. 실례를 용서하시고, 나와 내 딸을 위해 상량문을 써 주셨으면 합니다."

"미천한 저를 이런 영광스러운 자리에 불러 주어 정말 감사합니다. 보잘것없는 글솜씨나마 도움이 된다면 기꺼이 써 드리겠습니다."

용왕님은 환하게 웃으시고, 동자를 시켜 붓과 벼루를 가져오게 했다. 또 다른 동자에게는 글을 적을 비단 한 폭을 준비하라고 했다.

글을 쓸 준비를 마친 한생은 숨을 한 번 몰아쉬었다. 그리고 쓸 내용을 마음속으로 정리해 보았다.

한생은 붓에 먹을 묻히고 비단에 상량문을 쓰기 시작했다.

이 세상 안에서는 이미 만물을 윤택하게 하신 공을 마련해 두었으니 어찌 복을 받지 않으리. 인간 세상에서는 좋은 배필을 만남이 중요한 것들 중의 으뜸이다. 《시경》에 이르기를 행동이 단정한 요조 숙녀는 군자의 훌륭한 배필이라 했다.

여기 새 누각을 지어 아름다운 이름을 높이 내걸었다. 조개를 모아 재목을 삼고 수정과 산호로 기둥을 세우고, 용의 뼈와 옥돌로 대들보를 만들었다. 구슬로 만든 발을 걷어 올리면 산에는 노을이 지고, 옥으로 만든 창을 열면 골짜기에는 구름이 둘러 있다.

부부가 서로 마음을 합쳐 백 년 동안 복을 받고, 그 자손 대대로 번창하리라.

바람과 구름이 변화를 파악하고 조화로움을 얻어, 하늘 높이 오를 때나 깊은 물에 잠길 때나 백성들의 힘든 일을 해결해 주리라. 또 백성들은 임금의 어진 마음을 빌고 따라서 나라의 힘이 온 천하에 미치리라.

소문이 먼 곳까지 전해져 검은 거북과 붉은 잉어는 기뻐 날뛰고,

산의 귀신과 도깨비들도 축하해 줄 것이다. 마땅히 시를 지어 곱게 조각한 후에 높이 걸어야겠다.

한생은 잠시 숨을 돌리고 다시 정신을 가다듬었다. 그러고 나서 붓에 먹을 묻히고 시를 써 내려갔다.

고개를 들어 대들보 동쪽을 바라보니
끝없는 산봉우리가 하늘에 걸려 있네.
어느 날 천둥 소리 시냇가에 울려 오니
까마득한 푸른 벼랑에 구슬처럼 빛난다.

대들보 서쪽으로 눈을 돌려 보니
울퉁불퉁 험한 길에 산새들이 조잘대네.
깊고 깊은 저 연못은 그 깊이를 알 수 없는데
봄 물결이 봄빛에 어우러졌네.

눈을 돌려 대들보 남쪽을 바라보니
소나무 숲 우거진 곳에 푸른 시내가 있네.
이 신비로운 궁전을 어느 누가 알 것인가.
푸른 유리 밑에 그림자만 어려 있네.

대들보 북쪽으로 눈을 들어 보니
새벽빛에 연못물이 투명하여 거울 같네.
흰 비단 삼천 자가 공중에 휘날리니
하늘 위에 은하수가 이 곳에 떨어졌구나.

대들보 위를 눈을 돌려 살펴보니
푸른 하늘에 무지개를 잡을 수 있겠네.
동해의 해 돋는 곳 천만 리나 되지만
인간 세상 둘러보니 손바닥만하네.

대들보 아래로 눈을 돌려보니
들판에 아지랑이가 피어오르네.
오묘한 빗방울 이 곳에 가져와서
온 세상에 단비를 뿌려 주리라.

시 짓기를 마친 한생은 용왕님께 글을 올렸다. 시를 읽어 내려가는 용왕의 얼굴에는 기쁨의 빛이 가득했다.

"마음이 흡족합니다. 여러 손님들께서도 궁금하실 터이니 돌려보시기 바랍니다."

그들은 숨을 죽여 가며 한생의 시를 읽고는 입에 침이 마르게 한생을 칭찬했다.

"과연 대단한 문장가입니다."

"감사합니다. 그런데 미처 여기 모이신 손님들의 존함을 여쭙지 못했습니다. 좀 늦은 감이 있지만 알려 주십시오."

"일을 급하게 서두르는 바람에 그리 된 것 같소. 내가 소개해 드리겠소."

용왕이 한 사람씩 가리키며 설명해 주었다.

"이 분들은 모두 강을 다스리는 임무를 맡은 신들입니다. 선비님 가까이 계시는 분은 임진강을 다스리는 조강신입니다. 그리고 그 옆에 계시는 분이 한강을 다스리는 낙하신입니다. 그리고 제 옆에 있는 분은 예성강 아래 쪽을 다스리는 벽란신입니다. 이 세 신들은 저와 같이 선비님의 글솜씨를 감상하기 위해 오신 겁니다."

용왕은 설명을 끝내고, 신하를 시켜 잔치 준비를 하라고 명령했다. 곧이어 먹음직한 음식이 상에 가득 차려졌다.

"선비님, 상량문을 쓰시느라 고생하셨소. 시장하실 테니 많이 드시오. 자, 여러 신들도 함께 건배를 합시다."

맛있는 음식을 들고 술잔을 돌려 권커니 잣거니 하며 잔치를 즐겼다.

"이 흥겨운 자리에 음악이 빠졌군 그래. 여봐라, 풍악을 울려라!"

그러자 잠시 후 선녀처럼 아름다운 여인들이 줄을 지어 들어왔다. 머리에는 예쁜 화관을 쓰고 푸른 옷을 입은 그들은 마치 나비가 나는 듯이 하늘하늘 춤을 추었다. 화려한 자태로 춤을 추면서 〈벽담곡〉이라는 노래를 불렀다.

　　높고 높은 저 산빛은 새파랗고
　　우렁찬 폭포는 은하수에 닿을 듯하네.
　　저 가운데 계신 님의 목소리 쟁쟁하네.
　　아름다운 시절에 봉황새 울고
　　좋은 일 행복한 일이 넘쳐나네.

　　선비를 모셔와 글을 짓게 하니
　　높은 덕 노래하여 대들보 위에 올렸네.
　　맛난 음식과 술로 자리를 빛내고
　　물찬 제비처럼 봄볕을 즐기는구나.

화로엔 은은한 향내가 나고
냄비에는 맛있는 음식이 끓어오르네.
북을 치고 피리를 불어 행진하니
용왕님의 높은 은덕 잊지 않으리.

여인들의 춤과 노래가 끝나자, 한생과 손님들은 감탄하며 박수를 보냈다.

뒤이어 씩씩한 남자들이 한 손에는 피리, 또 다른 손에는 부채를 들고 들어왔다. 그들은 절도 있는 춤을 추면서 〈회풍곡〉이라는 노래를 불렀다.

언덕에 오르신 님은 덩굴풀로 옷 입었네.
땅거미 지니 물결은 비단을 펼친 것 같네.
쌀쌀한 바람에 머릿결이 흩날리고
두둥실 흘러가는 구름은 춤을 추는구나.
아름답고 고운 자태를 뽐내네.

내 겉옷은 냇가 위에 벗어 두고
손에 있던 반지 모래밭에 묻었다네.
금잔디에 이슬이 젖고 높은 산에 안개 끼네.
크고 작은 저 산봉우리 멀리서 바라보니
마치 강 위에 푸른 소나무와 같네.

청년들의 노래는 계속되고 분위기는 점점 무르익었다.
오랜만에 열린 잔치였는지 용왕님도 흥이 올랐다. 술잔을 들어 한생과 신들에게 술을 따라 주며 들기를 권하였다.

"참 좋습니다. 원하던 상량문도 훌륭하게 완성되었고…… 내 보답하는 뜻으로 노래 한 곡 하겠습니다."

용왕님은 옥피리를 불고 〈수룡음〉을 불렀다.

풍악 소리 울리고 술잔을 돌리니
기린 무늬 그려진 항아리에 취하네.
옥피리 소리에 하늘 위 구름이 걷히고
물결은 찰랑찰랑 춤을 추네.

붉은 노을은 초저녁에 사라지고
쟁반 같은 둥근 달 둥실 떴네.
술잔 높이 들어 달님에게 물어보자.
인간 세상 시름을 얼마나 알고 있는지.

용왕은 취한 듯 비틀비틀 춤을 추었다.

신기한 구경

"지금부터 여러분에게 신기한 춤과 재주를 가진 재주꾼들을 소개하겠습니다. 먼저 곽개사(게를 이르는 말)의 재주를 보시겠습니다."

기다렸다는 듯이 게가 옆걸음으로 걸어 나왔다.

"이 자리에 초대해 주시고, 맨 먼저 저의 재주를 보여 드릴 기회를 주셔서 감사합니다. 저는 바위틈이나 모래 구멍에 숨어 사는 여유로운 사람입니다. 8월쯤 동해에 가서 뱃속에 담겨 있는 부스러기를 쏟아

내고, 하늘에 구름이 흩어지면 남정성이라는 별 가까이 가서 빛을 발산하기도 합니다. 제 몸 속은 누르스름하고 몸 밖은 둥급니다. 또 단단한 갑옷을 입고 날카로운 집게발을 가졌습니다. 힘센 장사와 부인들은 저를 보고 좋아합니다. 맛깔스러운 맛과 우스꽝스러운 걸음걸이 때문입니다. 하지만……."

게는 슬픈 표정을 짓고는 잠시 말을 끊었다.

"조나라 왕윤(물을 좋아하지 않아 물 속에 사는 게까지 싫어함)이라는 사람은 저를 싫어했습니다. 그 반면 송나라 전곤(게를 아주 좋아함)은 산골에 들어가서도 저희를 잊지 못했습니다. 죽어서는 전나라 필이부(게를 사랑한 사람)의 손에 들어가 당나라 화가 한진공에게 우리의 초상화를 그리게 했습니다."

그 동안 겪었던 일을 얘기하고 난 곽개사는 창을 쥐고 춤을 추었다. 뽀글뽀글 거품을 물고 눈을 이리저리 굴리며 여러 개의 손발을 흔들어 댔다.

곽개사의 율동을 시작으로 주변에 있던 동료들도 장단에 맞춰 춤을 추었다.

그 자리에 있는 여러 사람들은 게들이 몸을 비틀어 대며 흔들 때마다 유쾌하게 웃었다.

춤을 추던 곽개사는 노래를 지어 흥을 돋우었다.

강과 바다에 의지하여 바위틈에 살지만
열의를 비교한다면 호랑이에 지지 않으리.
크기는 구 척이나 되니 조공에 넉넉하고
종류는 열 가지나 되니 이름도 많네.
용왕님의 잔치에 부름을 받아

발을 들고 흔들흔들 춤을 추네.
깊은 연못 홀로 잠겨 있으니
강가에 비추는 등불에도 깜짝 놀라네.

물에 사는 다리 있는 것들은 나를 비웃어
창자가 없는 놈이라 하지만
뱃속엔 덕이 가득 차고
엄지발가락은 옥같이 반질하네.
영광스럽게 신선 잔치 참가했네.
용왕님의 노랫소리에 손님도 취하셨네.

곽개사는 왼쪽으로 슬금슬금 걸어갔다가 오른쪽으로 다시 돌아와서는
뒤로 물러갔다 앞으로 달아나며 뒹굴었다. 게거품을 물고 이리저리 흔
드는 모습에 모두들 손뼉을 치며 좋아했다.

곽개사의 순서가 끝나자, 용왕은 뒤이어 현 선생(거북을 이르는 말)을
불렀다.

현 선생은 목을 늘어뜨리고 꼬리를 끌며 앞으로 나왔다.

"인간 세상에서 오신 분과 더불어 세 신들을 모신 자리에 참석하게
되어 기쁩니다. 먼저 용왕님의 초대에 감사드리며, 제 소개를 하겠습
니다. 저는 톱풀에 숨어 살며, 연꽃잎 밑에서도 놉니다. 중국 하나라
낙수라는 강에서는 글을 등에 지고 나왔습니다. 그리고 저 송나라 원
군(신령스러운 거북을 얻어서 죽여 점친 후로 실패를 하지 않았다고 함)의
슬기로움도 알게 됐습니다."

한생은 현 선생의 재미있는 이야기에 푹 빠져 있었다.

"저는 힘센 장사로 머리에 산을 두르고, 강한 창자를 가지고 있으며,

다리에는 마름모를 그렸습니다. 살아 생전에는 보배가 되고, 죽은 뒤
에는 미래를 예언하는 보물이 되었습니다. 오랜 세월 쌓였던 한과 회
포를 춤과 노래로 풀어 보려고 하니 마음껏 즐겨 주시기 바랍니다."

자기 소개를 마친 현 선생은 온몸에 힘을 주어 기를 끌어모았다. 그
리고는 온몸을 오므렸다 폈다 하기를 여러 번, 모아진 기운을 입 밖으
로 내뱉기 시작했다.

그 기운은 점점 더 길게 뿜어져 나와 그 곳을 휘감았다. 주변이 현 선
생의 기운으로 가득 차 더워지기 시작했다. 현 선생은 다시 숨을 들이
마셔 콧속으로 그 기운을 빨아들였다.

그 곳에 모인 사람들은 신기한 장면을 보고 모두 입을 다물지 못했
다. 현 선생은 뱉어 낸 기운을 들이마시고 나서는 춤을 추기 시작했다.

목을 길게 뺐다가 다시 집어 넣고, 고개를 흔들고 이리저리 뛰어다니
기도 하고 떼굴떼굴 구르기도 했다.

조금 후에 구공무(당나라 때 추던 춤)를 추기 시작했다. 앞뒤로 왔다
갔다 하며 빙글 돌다가 엉덩이를 흔들흔들 흔들어 댔다.

여러 사람이 현 선생의 우스꽝스러운 모습을 보고 깔깔대며 웃었다.
현 선생은 또한 흥을 돋우려는 듯 노래를 불렀다.

산과 연못을 벗삼아 살며
숨쉬는 것으로 오래 살고 있네.
긴 세월에 갖가지 빛깔을 감추고
열 꼬리를 흔드니 신령스럽네.
내 비록 진흙탕 속에 살지라도
벼슬은 내 소원이 아니네.

신비로운 약이 없어도 오래 살며
배우지 않아도 슬기로움이 있네.
용왕님 잔치에 숨은 재주 보이고
길함과 흉함, 화와 복을 점치네.

노래가 끝나자 현 선생은 다시 춤을 추기 시작했다. 세 신들도 즐거
운 듯 손뼉을 치며 좋아했다.

"오랜만에 정말 즐거운 구경을 하게 되었구려."

"그러게 말이오. 다 용왕님의 덕이오. 게다가 인간 세상에 널리 알려
진 문장가의 시도 구경하게 되었으니 오늘은 참 흥겨운 날이로군."

"현 선생의 춤은 아무도 흉내내지 못할 걸세."

용왕님은 좌중이 모두 즐거워하고 칭찬을 아끼지 않자, 마음이 흡족

했다.

"자, 이제 마지막으로 산에 사는 도깨비들과 괴물들의 춤과 노래를
들어 봅시다."

용왕님의 소개와 함께 도깨비들과 괴물들이 우르르 몰려 들어왔다.

"뚝딱, 뚝딱! 저희들은 산에 사는 산도깨비들입니다. 처음 뵙겠습니
다."

금방망이와 은방망이를 손에 하나씩 들고 울긋불긋한 옷을 차려입은
도깨비들이 고개를 숙여 인사를 했다.

'아, 저들이 어르신들께 말로만 듣던 도깨비들이로군. 정말 온몸에는
털이 숭숭 나 있고, 얼굴은 우락부락하게 생겼군. 그렇지만 도깨비 이
야기를 자주 들어서 그런지 낯설지가 않군.'

한생은 도깨비들이 친숙하게 느껴졌다.

"안녕하세요? 사람들은 우리를 괴물이라고 부른답니다. 겉모습은 흉악해 보이지만, 마음은 따뜻하고 순합니다. 여러분을 위해 노래와 춤을 보여 드리겠습니다."

툭 튀어나온 눈에 콧구멍은 넓게 뚫려 있고, 입은 쭉 찢어져 보기에도 징그러워 보였다. 하지만 그들의 말처럼 사나워 보이지는 않았다.

도깨비들과 괴물들은 괴성을 질러 대며 발을 쿵쿵 구르기 시작했다. 피리를 불어 대기도 하고 휙휙 휘파람 소리를 내기도 하면서 이리저리 뛰어다녔다.

크고 작은 괴물과 도깨비들이 추는 춤은 매우 흥겨웠다. 구경하던 모든 사람들의 어깨가 절로 들썩였다. 괴물과 도깨비들은 우렁찬 목소리로 노래를 불렀다.

신통한 용이 용왕님이 되셨으니
천만 년 동안이나 그 복을 누려
귀한 손님 맞이하니 정말로 신선 같네.
새로 지은 저 글은 옥구슬처럼 영롱하네.
옥돌에 이 글을 새겨 길이길이 전하리.

님이 베푼 이 잔치 흥겹구나.
연꽃을 캘 때 흥얼거리는 노래를 부르며
둥글게 돌아가며 흥겹게 춤을 추네.
북소리는 거문고 소리와 장단을 맞추고
배를 저어라, 고래처럼 숨을 쉬네.
예절을 갖추어 잔치를 베푸니
유쾌함은 끝이 없네.

마지막 공연이 끝나자, 좌석에서는 박수가 터져나왔다.

"정말 이제까지 보지 못했던 구경을 했습니다. 마음껏 웃어대니 그 동안 쌓였던 번뇌와 시름이 다 잊혀지는 것 같습니다."

"정말입니다. 웃음보따리가 터지는 줄 알았습니다."

"용왕님의 배려 덕분에 유쾌한 시간 보냈습니다."

한생도 한 마디 거들었다.

"인간 세상에서는 평생 볼 수 없는 진귀한 구경을 했습니다. 이런 자리에 초청해 주셔서 다시 한 번 감사의 말씀을 올립니다."

세 신 중 조강신이 보답의 말을 했다.

"훌륭한 글과 잔치를 보았으니 미흡하나마 저희들도 시 한 수씩을 지어 볼까 합니다."

그리고 나서 조강신은 시를 읊기 시작했다.

끝없는 물결 바다로 흘러들고
거센 물결 위에 배를 띄웠네.
구름이 흩어지고 달은 둥실 솟았네.
건들바람 불어 오고, 밀물은 밀려 오네.

고기들은 한가롭게 따뜻한 날씨를 즐기고
오리 떼는 자꾸 물 속으로 헤엄치네.
매년 거센 파도 때문에 힘들었는데
오늘 잔치로 온갖 시름이 없어졌네.

그 다음으로 한강을 다스리는 신이 나섰다.

오색 찬란한 꽃 그림자를 가리고
음식과 악기들이 가지런히 놓여 있네.
구름처럼 막을 친 곳에는 노래가 있고
수정발이 쳐진 곳에는 춤이 덩실덩실.

다정하신 용왕님은 이 곳에만 계실까
인간 세상의 저 선비는 이 자리를 빛내 주네.
지는 해를 끈으로 잡아매어
이 봄밤을 취하도록 놀아 보세.

다음은 벽란을 다스리는 신이 술 한 잔을 비우고 시를 읊었다.

용왕님이 취해 금빛 의자에 기대니
안개는 자욱하고 해는 벌써 기울었네.
하늘하늘 춤을 추니 비단 소매 나부끼고
맑은 노래 대들보에 울려 퍼지네.

여러 해 쌓인 원한 시름이 되었으나
오늘에야 그 시름 모두 풀게 되었네.
흘러가는 그 세월을 누가 알겠는가
세상일은 바쁘게 돌아가네.

세 명의 신이 용왕에게 세 편의 시를 바치니, 용왕은 잘 읽어 본 뒤에 한생에게 건네 주었다. 세 신의 시를 받게 된 한생은 감격하여 읽고 또 읽었다. 그러고 나서 한생은 시에 대한 보답과 이 잔치를 베풀어 준 용왕님을 위하여 긴 시를 한 편 지었다.

천마산 높은 꼭대기에서 떨어지는 폭포는
숲을 뚫고 세차게 흘러서 시내가 됐네.
물 속엔 달빛이 영롱하고 못 밑에 용궁이 있네.
용왕님의 흔적은 신기하고 조화를 이루니
실 같은 안개 향기로운 냄새를 풍기네.

하늘의 부름을 받아 푸른 언덕에 당도하니
구름 타고 돌아다니며 비를 내려 말을 달리네.
용궁 잔치에 용왕님 앞 음악 전하니
찻잔에 안개가 서리고 이슬은 연꽃잎에 달려 있네.
그 행동이 단정하고 예절이 반듯하며
옷차림이 찬란하고 패옥 소리 영롱하네.
물고기와 물의 신들 다 모였네.

신의 조화로움은 얼마나 위대한가
북소리에 꽃이 피고 술잔 속엔 별이 떴네.
아가씨와 총각들은 옥피리와 거문고를 연주하고
술잔을 부딪치며 만수무강을 소원하네.
진기한 과일과 얼음 같은 수정과
맛난 음식 배불리 먹고 깊은 은혜 새기니
바닷물을 마시고 봉래신에 구경 온 듯
즐거움은 잠깐 곧 이별이라 하루가 꿈만 같네.

한생의 긴 시를 훑어본 좌중은 탄복하며 칭찬해 마지않았다.

"참 훌륭한 글입니다. 금강석에 새겨 두어 대대로 보관하겠습니다."

용왕님의 답변에 한생도 흡족하며 한 가지 부탁을 하였다.

"용궁 잔치를 통해 신기한 것들을 잘 보았습니다만, 용궁 구경을 하지 못했습니다. 실례가 안 된다면 웅장한 궁궐과 더불어 신비로운 곳들을 둘러보고 싶습니다. 인간 세상에서 용궁까지 발을 밟았으나 궁궐 속의 이모저모를 제대로 보지 못하고 떠난다면 후회가 클 것입니다. 허락해 주십시오."

"무얼 그리 망설였습니까? 제가 그 생각을 미처 하지 못했습니다. 좋은 글을 이렇게 써 주셨는데 당연한 말씀입니다. 어디든지 둘러보십시오."

잔치를 끝내고 그들은 자리에서 일어섰다. 세 신들은 한생에게 인사를 했다.

"정말 즐거웠습니다. 다음에 기회가 되면 다시 만나 선비님의 글 솜씨를 보고 싶습니다."

"저도 여러 신들을 만나 기뻤습니다. 안녕히 가십시오."

서로 인사를 나눈 후에 한생은 궁궐을 둘러보기 위해 밖으로 나왔다.

눈을 들어 앞을 바라보니 영롱한 오색구름이 궁궐 주변을 싸고 있어 어디가 어딘지 분간을 할 수 없었다.

용왕의 선물

용왕의 명령을 받고 한 신하가 따라나섰다. 그가 공중을 향해 입김을 후 부니 오색구름이 말끔히 걷히고 잘 정돈된 넓은 세계가 펼쳐졌다. 아름다운 꽃과 나무가 길 양옆으로 심어져 있었고, 바닥에는 금모래가 깔려 있었다. 거기에는 금으로 쌓은 성이 솟아 있고, 그 뜰은 유리가 깔려 있어 번쩍번쩍 빛이 났다.

안내하는 신하를 따라 제일 먼저 도착한 곳은 하늘에서 조회하는 정자였다. 정자의 바깥은 수정과 유리로 장식이 되어 있고, 구슬과 옥으로 치장되어 있었다. 그 웅장함이란 보는 사람이 기가 죽을 지경이었다.

정자를 오르는 계단은 열 개가 있었다. 몇 계단을 오르니, 마치 발 아래 아무것도 없이 온몸이 붕 떠 있는 기분이 들었다.

"안 됩니다. 그 이상은 올라가시면 안 됩니다."

안내하던 신하가 기겁을 하며 말렸다. 한생은 궁금하기는 했지만, 법으로 금지되어 있는 곳이라는 말을 듣고 계단 아래로 내려왔다.

발길을 돌려 능허각(공중에 높이 솟아 있는 누각)에 도착했다.

"여기는 용왕님께서 하늘에 가실 일이 있을 때 입을 옷과 왕관을 챙기는 곳입니다."

"용왕님의 옷과 왕관을 구경하고 싶습니다."

용왕이 입는 붉은 비단옷은 오색찬란한 보석들로 장식이 되어 있었고, 금으로 만든 왕관에는 수정과 보석들이 가득 달려 있었다.

용왕의 옷 구경이 끝나자 신하는 다른 방으로 안내했다.

방에 들어서니 번쩍번쩍 빛나는 것이 있어 눈을 뜰 수가 없었다.

"아, 눈부셔! 저건 무슨 물건이죠?"

"번개 할머니의 번개를 만드는 거울입니다."

그 옆으로 북이 있었다. 그것은 천둥을 맡은 천둥 대신의 것으로 함부로 쳐서는 안 된다고 신하가 주의를 주었다.

한 구석에 풀잎같이 생긴 물건이 눈에 띄었다. 한생은 그것을 쥐고 흔들어 보려고 했다. 신하가 기겁을 하고 달려와 붙들었다.

"큰일납니다. 이것은 바람을 일으키는 풀무입니다. 모르고 이것을 흔

들게 되면 산이 흔들리고 바위가 굴러 떨어지고, 나무가 뿌리까지 뽑혀집니다."

한생은 모든 것이 신기하기만 했다. 인간 세상에서 겪은 자연의 변화를 이 곳에서 만들어 낸다고 하니 놀라울 따름이었다.

방을 휘 둘러보다가 항아리가 있는 곳에 눈길이 머물렀다.

"저 물항아리와 빗자루는 무엇입니까? 이 방을 청소하려고 갖다 놓은 것인가 보군요. 그럼 제가 한 번……."

물항아리에 빗자루를 넣어 물을 적시려던 한생은 신하가 소리치는 바람에 멈칫했다.

"안 됩니다. 빗자루에 물을 묻혀 뿌리게 되면 인간 세상에서는 홍수가 날 것입니다. 집과 논밭이 물에 잠기고, 사람과 가축들은 떠내려가게 될 것입니다."

길을 안내하던 신하는 겨우 한숨을 돌리고 대답을 했다.

"그럼 번개 할머니, 천둥 대신, 바람 대신, 비 대신들은 모두 어디에 모여 있습니까?"

"옥황상제님의 분부로 그들은 은밀한 곳에 거처하고 있습니다. 분별 없는 행동을 하게 되면 큰일나므로 한 자리에 모여 의논을 한 뒤에 행동을 합니다."

방 안에 있는 다른 물건들을 보느라 시간이 많이 흘렀다. 한생은 신하를 따라 다른 곳으로 향했다.

긴 복도를 한참 지나가니 행랑채가 나왔다. 그 곳에는 튼튼한 자물쇠가 채워져 있었다.

"여기는 용왕님의 보물을 보관하는 곳입니다. 하지만 허락이 없인 못 들어갑니다."

"그렇군요. 시간이 많이 흐른 것 같습니다. 그만 돌아갔으면 합니다."

한생은 돌아가려고 발길을 돌렸으나 문들이 겹겹이 에워싸고 있어 길을 찾을 수 없었다. 방향을 잡을 수 없어서 그는 신하에게 도움을 요청했다. 신하의 도움으로 용왕님이 계신 곳에 당도한 한생은 감사한 마음을 전했다.

"용왕님의 배려로 아름다운 용궁 구경을 잘 했습니다. 이제 그만 제가 사는 속세로 돌아갈까 합니다."

"벌써 시간이 그렇게 됐군요. 훌륭한 시인을 만나 뵙게 되어 무척 즐거웠습니다."

용왕은 용궁에 온 기념으로 옥구슬 두 개와 얼음으로 만든 초(얇게 짠 비단) 두 필을 한생에게 선물하였다.

"여봐라! 여기 선비님을 인간 세상까지 잘 모셔다 드려라. 이건 산을 뚫고 물을 헤쳐 나가는 데 요긴하니 가지고 가거라."

용왕은 신하들에게 당부하고 한생을 궁궐 밖까지 배웅했다.

한생은 한 신하가 권하는 대로 그의 등에 올라 타고 눈을 꼭 감았다. 신하는 한생이 올라 타자 용왕이 내려 주신 신비한 뿔을 휘둘렀다.

갑자기 신하의 몸이 공중으로 붕 떠올랐다. 그 뒤로 한생의 귀에는 바람 소리와 세찬 물소리가 번갈아 들려왔다.

"자, 이제 다 왔습니다."

같이 온 신하의 말소리에 눈을 뜨니 그 곳은 한생의 방이었다. 방을 휘둘러보며 두리번거리고 있는데, 용왕의 신하가 보이지 않았다.

"여보시오, 어디 계시오? 내가 이제까지 꿈을 꾼 것일까?"

한생은 방 밖으로 나왔다. 동쪽 하늘에서는 해가 꿈틀거리며 솟아오르고 있었다.

그는 용왕의 선물을 생각하고 품 속에 넣어 두었던 옥구슬과 초를 꺼내 들었다. 용궁에 갔던 일이 사실임을 확인한 그는 선물을 깊숙한 곳에 감춰 두고 아무에게도 보여 주지 않았다.

그 후로 한생은 속세와는 인연을 끊고 깊은 산 속으로 들어가 버렸다. 그의 나중 이야기를 들은 사람은 아무도 없다고 한다.

대동야승

작가 미상

대동야승

꽃과 나무에 얽힌 사연

인왕산 밑 한 마을에 김 현감이라는 사람이 살고 있었다. 그의 집 뜰은 아름다운 꽃과 나무들로 잘 꾸며져 있었다.

화창한 봄날, 정원의 장미꽃을 구경하던 김 현감은 쏟아지는 졸음을 이기지 못하고 스르르 잠이 들었다.

안개가 피어오르면서 누런 색 옷을 입은 청년 한 사람이 나타났다.

"놀라게 해 드려 죄송합니다. 저는 장미나무와 더불어 수십 년을 이곳에서 살아왔습니다. 그런데 요사이 이 집의 아드님한테 괴롭힘을 당하고 있습니다. 제 신통력으로 벌을 내릴까 생각했지만, 그 동안 현감님으로부터 받은 은혜를 돌아보니 그럴 수 없었습니다. 자세히 알아보시고 다시는 이런 일이 없도록 해 주십시오."

깜짝 놀라 잠에서 깨어난 김 현감은 주변을 두리번거렸다.

잠시 후, 안에서 아들 녀석이 뛰어나오더니 장미나무 앞에 쉬를 하는 것이었다. 오줌 줄기가 나뭇가지 위로 뻗쳐 꽃잎에 닿으니, 그만 시들어 버렸다.

꿈 생각이 난 김 현감은 아들을 불러 주의를 시켰다. 그리고 물을 떠오게 하여 꽃잎을 씻어 주고, 나무 밑을 청소하게 했다.

또한, 매화나무에 얽힌 신기한 이야기가 하나 있다.

영남의 한 고을에 신씨 성을 가진 원님이 있었다. 그가 근무하는 동헌 앞에 조그만 연못이 있었다. 연못 안에는 늙은 매화나무 한 그루가 있었는데, 그 생김새가 특이했다.

신 원님은 매화나무가 따로 떨어져 있는 것이 마음에 걸려 동헌 뜰로 옮기도록 했다. 그런데 원님의 명령으로 매화나무를 파내던 인부들은 깜짝 놀랐다.

"거참, 뿌리가 파도 파도 끝이 없네. 이처럼 오래 된 나무에는 나무신이 산다고 하던데……."

"글쎄 말이야, 함부로 손을 대서는 안 될 것 같은데."

그날 밤 원님의 꿈에 신령스런 노인 한 분이 나타났다.

"네 이놈, 감히 내 몸에 손을 대어 상처를 내다니. 한곳에서 산 지가 백 년이 다 되었는데, 이제 거처를 옮겨 말라 죽게 됐으니…… 너를 가만 두지 않겠다."

꿈에서 깬 원님은 낮에 옮겨 심은 매화나무 생각이 났다.

'아, 어쩌면 좋단 말인가? 오래 된 나무는 함부로 옮기지 않는다 했는데…… 내가 너무 경솔했구나.'

그 매화나무는 그 후로 꽃과 가지가 시들해져 말라 죽었다. 또한 원님도 원인을 알 수 없는 병으로 앓다가 세상을 떠나고 말았다.

우리 조상들은 자연에도 영혼이 있다고 믿고, 풀 한 포기 나무 한 그루도 함부로 다루지 않았다. 이 이야기들은 자연에 대한 경각심을 일깨우기 위함이다.

신흠의 일화

신흠은 어려서부터 신동이라는 소리를 들으면서 자랐다.

신흠은 열네 살이 되자, 송미로 선생의 가르침을 받고자 그의 제자가 되었다. 송미로 선생은 그 당시 유행했던 소동파(중국의 유명한 문인으로 당송 8대가의 한 사람)의 글에 능한 사람으로 시를 잘 지었다.

하루는 시를 짓는 자리가 주어졌다. 학생들은 입 속으로 중얼대기도 하고, 종이에 시험 삼아 써 보기도 했다.

신흠은 조용히 머릿속을 정리하고 난 뒤 붓을 들어 단숨에 글을 써 내려갔다. 그리고는 자리에서 일어나 밖으로 나왔다. 신흠은 사람들로 부터 수없이 듣는 칭찬이 반갑지 않았다.

'이번에도 사람들은 내가 쓴 글을 보고 놀라고, 쉴 새 없이 칭찬이 쏟 아지겠지. 아직은 보잘것없는 글들을 보고 탄복하니 정말 몸 둘 바를 모르겠다.'

아니나 다를까 신흠이 시를 써 놓고 집으로 돌아간 사이, 글방에서는 감탄의 소리가 끊이지 않았다.

"역시 신흠이야. 오늘도 장원으로 뽑혔어."

"정말 나무랄 데가 없는 글이야. 어느 한 군데 흠잡을 데가 없네."

송미로 선생 역시 혀를 내둘렀다.

'제자가 선생을 앞지르는군. 대단한 솜씨야. 앞으로 크게 될 인물이 야.'

신흠은 21세에 과거에 급제하고, 사십의 나이로 판서 벼슬에 올랐으 며 영의정까지 지내었다. 선비로서 그릇된 일을 하지 않아 사람들은 그 를 어진 정승이라고 불렀다.

두 신하의 대화

태종 임금은 세종에게 왕위를 넘긴 뒤로 한가로이 풍양궁에서 지내고 있었다.

날씨도 화창하여 산책하기 좋은 날씨였다. 천천히 걷고 있는데, 신하들이 다투는 듯한 소리가 들려왔다.

태종은 발을 멈추고 무슨 일인가 하고 귀기울여 봤다.

"세상의 권력과 지위, 재물은 임금님 손에 달려 있어. 임금님의 뜻대로 된단 말이야."

"그렇지 않아, 하늘이 정한 이치대로 되는 거야. 비록 그것이 임금님의 입을 통해 전달된다고 하더라도 그건 하늘의 뜻이지."

태종은 아주 재미있다는 듯이 빙그레 웃었다. 곧 아들 세종에게 보낼 편지를 썼다.

이 편지를 전달하는 신하에게 계급을 한 단계 올려 주시오.

태종은 모든 일이 임금의 손에 달려 있다고 주장한 신하를 불러 심부름을 시켰다.

급히 편지를 받아 든 신하는 서둘러 세종 임금이 계신 곳으로 향했다. 하지만 점심 먹은 것이 체했던지 배가 아파 오기 시작했다.

'안 되겠다. 편지만 전하면 되는 것이니, 저 사람에게 부탁해야겠다.'

몸이 아픈 신하는 하늘의 이치를 따른다는 신하에게 편지 부탁을 했다.

날이 밝자, 태종은 두 신하의 일이 궁금했다.

'당연히 심부름을 시켰던 신하가 벼슬이 올랐겠지. 암, 임금이 최고

지.'

하지만 결과는 엉뚱했다. 하늘의 뜻을 따른다는 신하가 승진이 되어 있었다.

복통 때문에 편지 심부름을 다른 사람이 하게 된 사실을 알게 된 태종은 크게 뉘우쳤다.

'아! 내가 너무 오만했구나. 모든 것은 하늘의 뜻이다.'

아버지의 딸 교육

깐깐하기로 소문난 윤 재상은 여러 명의 딸을 두었다. 그는 딸들이 밖으로 함부로 나다니는 것을 좋아하지 않았다.

어느 날, 젊은 관료들이 사신을 맞이하기 위해 거리로 나오자 그들을 구경하려고 사람들이 몰려들었다. 윤 재상의 딸들도 곱게 단장을 하고 밖으로 나가려고 했다.

"애들아, 구경 가기 전에 내가 들려 줄 이야기가 하나 있다. 잠깐 앉아 보아라."

재상은 딸들에게 이야기를 들려주었다.

오래전에 한 임금이 키가 큰 나무를 뽑아 줄 사람을 찾고 있었다.

"여기 있는 나무를 뽑는 사람에게는 큰 상을 내릴 것이다."

힘 있는 장사란 장사는 다 모여들었다. 하지만 나무는 좀체로 움직이질 않았다.

신통한 점쟁이가 나무를 둘러보고 난 뒤 말했다.

"이 나무는 보통 나무가 아닙니다. 순결한 여자만이 뽑을 수 있습니다."

이 때 용모가 단정해 보이는 여자가 썩 나섰다.

"제가 한번 해 보겠습니다. 저는 하늘을 우러러 한 점 부끄러움이 없습니다."

앞으로 나선 여자가 나무 가까이 다가갔다. 하지만 나무는 잠시 흔들렸을 뿐 쓰러지지 않았다.

여자가 기가 막힌 듯 소리내어 엉엉 울자, 점쟁이가 여자를 달래며 한 마디 했다.

"여보시오, 진정하시오. 내 생각으로는 댁이 마음속으로나마 생각한 젊은이가 있을 법한데……."

"마음속이라구요? 네, 그런 일이 있기는 한데…… 언젠가 대문 밖으로 말을 타고 지나가는 한 선비님을 뵌 적이 있습니다. 외모가 너무 출중해서 저 선비의 아내가 되는 여자는 참 행복할 것이라고 생각했습니다."

점쟁이는 나무가 뽑히지 않는 것은 그 때문일 것이라고 설명해 주었다. 설명을 듣고 난 그여자는 자신의 단정치 못함을 뉘우쳤다.

이야기를 마친 윤 재상은 딸들에게 물었다.

"오늘 너희들이 거리에 나선 똑똑한 선비들을 보고도 마음을 깨끗하게 가질 수 있겠느냐?"

아버지의 염려하는 마음을 알고 난 딸들은 그 날 거리 구경을 나가지 않았다.

충성스런 거짓말

충선왕은 오랫동안 원나라에서 지냈다. 타국 생활의 쓸쓸함 때문인지 그 곳의 아름다운 여인과 사랑을 나누게 되었다. 귀국할 시기가 되자 충선왕은 정든 여인에게 이별의 선물로 연꽃 한 송이를 주었다.

하지만 본국으로 돌아와서도 충선왕은 그녀를 잊지 못했다. 충선왕은 이제현을 원나라로 보내어 그녀의 소식을 알아보게 하였다.

알아본즉, 그녀는 충선왕이 떠난 뒤로 잘 먹지도 않고, 자지도 않아서 몸이 많이 여위었다. 그녀는 이제현을 보자, 말도 잘 못 하는 아픈 몸을 일으켜 시 한 수를 지어 주었다.

> 남겨 주신 연꽃 한 송이
> 붉은 기운 분명하더니
> 가지 떠난 지 며칠
> 사람과 함께 시들어 가네.

이제현은 그녀가 불쌍했지만 마음을 강하게 먹었다. 귀국한 그는 충선왕을 찾아뵈었다.

"임금께서 찾으시는 여자는 술집에서 남자들과 노닥거리고 있었습니다. 임금님을 기억도 못 하시는 것 같았습니다."

충선왕은 그 동안 여자에게 마음을 두었던 일을 후회했다.

해가 바뀌어 왕의 생일날이 되었다. 이제현은 충선왕에게 무릎을 꿇고 빌었다. 그러자 왕이 놀라서 물었다.

"오늘은 경사스런 날인데 무슨 일인가?"

"소인을 죽여 주십시오."

이제현은 원나라 여인의 시를 바치고 그 동안의 일을 자세히 말씀드렸다.

충선왕은 눈물을 흘리며 뜰 아래로 내려가 이제현을 일으켜 세웠다.

"고맙소. 그 날 당신이 사실대로 이야기를 했더라면 나는 원나라로 갔을 것이오. 나라의 장래를 걱정하여 거짓말을 했으니······ 참으로 고맙소."

잉어와 숭검초

경연은 부모님을 극진히 모셨다. 마을 사람들은 그의 행실을 입에 침이 마르도록 칭찬하였다.

"학문에 전념하면서도 부모님을 모시는 데 소홀함이 하나도 없네."

"그러게 말이야. 아침 문안 인사부터 시작해서 저녁에 잠들기까지 극진히 모신다네."

가을이 지나고 계절이 바뀌어 추운 겨울이 되었다. 나이가 들어 몸이 쇠약해진 아버지를 보니 경연은 마음이 찢어질 듯 아팠다.

"아버지, 무얼 좀 드셔야 기운을 차리십니다. 드시고 싶은 것이 있으면 무엇이든 말씀해 주세요."

"먹고 싶은 것······."

아버지는 무얼 말하려고 하다가 이내 말을 끊었다.

"아버지, 말씀해 보세요. 무얼 드시고 싶은지······."

경연은 안타까운 마음에 아버지를 재촉했다.

"아들아, 내가 미쳤나 보다. 이 한겨울에 생선회가 왜 이리 먹고 싶은지······."

아버지는 말을 쏟아 내고 아차 싶었다. 하지만 이미 엎질러진 물이었다. 경연은 얼굴에 희색이 돌며 부리나케 밖으로 나갔다.

강가에 도착한 그는 꽁꽁 언 얼음을 깨 구멍을 내기 시작했다. 낚싯줄을 드리우고 한참을 앉아 있었지만 고기는 잡히지 않았다.

"하늘이시여! 자비를 베풀어 주소서!"

경연은 꽁꽁 언 몸을 녹일 생각도 않고 하늘에 대고 울부짖었다.

낚시를 드리운 지 하루가 지나 다음 날이 되었다. 추위에 잠깐 정신을 잃은 순간, 푸드득 하는 소리가 들려왔다. 큰 잉어 한 마리가 낚싯줄에 입질을 했다.

고기를 낚은 경연은 하늘을 향해 큰절을 올리고 급히 아버지에게로 달려갔다. 그런데 잉어를 먹고 기운을 차린 아버지는 또 한 번 아들에게 힘든 부탁을 했다.

"얘야, 저번에 잡아 준 잉어를 먹고 기운을 차렸다. 늙은이의 입이 왜 이리 간사한지…… 글쎄 승검초(미나릿과의 여러해살이 풀로 뿌리는 당귀라 하여 약재로 쓰임)가 먹고 싶어 견딜 수가 없구나. 늙으면 죽어야지……."

"아버지, 무슨 말씀을 그리 하십니까? 오래 사셔야 합니다. 제가 얼른 구해 오겠습니다."

경연은 아버지를 안심시켜 드리고 밖으로 나왔다. 하지만 겨울에 나지 않는 승검초를 구하기란 하늘의 별 따기였다.

그는 낫과 주머니를 메고 산으로 들로 승검초를 찾으러 다녔다. 눈으로 뒤덮인 산을 헤매느라 손과 발이 성한 곳이 없었다.

어둑어둑 해가 저물자 경연은 한숨을 쉬며 눈물을 흘렸다.

"부모님이 드시고 싶어하는 음식 한 가지도 가져다 드리지 못하니, 이 불효를 어찌한단 말인가?"

풀밭에 털썩 주저앉아 넋을 놓고 있을 때, 그의 발 밑에 무언가 눈에 띄는 것이 있었다.

"아, 이건 승검초가 아닌가? 이번에도 하늘이 나를 도왔네."

효자는 하늘이 알아본다고 했다. 그는 하늘에 감사의 절을 올리고 승검초를 조심스럽게 뽑아들었다.

아버지는 원하던 음식을 먹고 몸이 회복되었다.

세월이 흘러 아버지가 세상을 떠났다. 편안하게 눈을 감으신 아버지를 위해 경연은 움막을 짓고, 상주 노릇을 했다. 3년을 움막에서 지내며 고기는 절대 입에 대지 않았다.

경연은 또한 나이 드신 어머니를 모시는 동안은 벼슬을 하지 않았다.

성종 임금이 경연에게 사재주부의 벼슬을 내렸다. 또한 임금은 그를 불러 지난 일에 대해 물어보았다.

"소문에 추운 겨울에 나지 않는 음식을 부모님께 구해다 드렸다는데, 사실인가?"

"소인 몸 둘 바를 모르겠습니다. 당연히 할 도리를 한 것뿐인데, 과장되게 전해진 것뿐입니다."

임금은 효성이 지극하고 겸손한 경연을 흐뭇한 표정으로 바라보았다.

꿈속에 나타난 자라

관직에서 물러난 정승 권홍은 소문난 관광지를 돌아보며 지내고 있었다. 나이가 들고 일도 할 만큼 했는지라 큰 욕심은 없었다.

그 날도 근처 강가에서 물놀이를 하다가 돌아온 정승은 피곤하여 일찍 잠이 들었다.

"대감님, 대감님!"

어디선가 그를 부르는 소리가 들려왔다. 고개를 들어 앞을 보니 안개가 자욱하여 사람이라곤 보이지 않았다.

'허, 어디서 소리가 들린 것 같은데……'

그 때 어디선가 나타난 한 노인이 그에게 넙죽 절을 하고 눈물을 주르르 흘렸다.

"허, 왜 이러시오? 노인장, 어서 일어나시오."

"대감님, 저희들을 살려 주시오."

"살려 달라니 그게 대체 무슨 말이오? 사연을 들려주시고, 내가 어떻게 해야 하는지 말해 주시오."

"예, 대감. 내일 대감의 친구인 홍 정승이 나들이를 가자고 전갈을 할 것이오. 그 부탁을 거절하시면 우리 종족이 살 수 있습니다."

"알겠소. 친구와 나들이 약속을 하지 않으면 큰 도움이 된다고 하니 내 그리 하겠소."

노인은 감사의 절을 하고 연기처럼 스르르 사라져 버렸다.

다음 날, 권 정승이 아침 식사를 마치고 상이 나가고 있는데, 하인 하나가 들어왔다.

"대감마님, 밖에 홍 정승 댁 하인이 와 있습니다."

"그래? 들어오라고 해라."

홍 정승 댁 심부름꾼이 들어와 말을 전했다.

"그동안 별고 없으셨는지요? 저희 대감님께서 오늘 날씨도 좋으니 뚝섬에 나가 자라를 구워 먹는 것이 어떻겠느냐고 여쭙고 오라 하셨습니다."

"오늘 나들이를 하자……그거 고마운 말씀이로다."

권 정승이 허락을 하려는 찰나, 번쩍 머릿속을 스치는 것이 있었다.

'아, 그렇지. 간밤에 꿈속에 나타난 그 노인의 말이 맞구나. 그럼 그 노인이 바로 오래 묵은 자라였구나. 생물도 오래 된 것을 잡으면 화를 입는다던데……홍 정승의 청을 어떻게 거절한다?'

권 정승은 홍 정승 집 심부름꾼이 보는 앞에서 머리에 손을 짚었다.

"아이고, 머리야! 그놈의 두통이 또 도지는구나. 가서 전하거라. 말씀은 고맙지만 오늘은 머리가 아파서 움직일 수가 없다고. 내가 다음에 연락한다고 전하거라."

심부름꾼의 소식을 들은 홍 정승도 나들이를 포기했다.

정승 최고불

최윤덕 대감이 말 한 필과 하인 한 사람을 데리고 급히 고향으로 내려가고 있었다. 어머니가 돌아가셨다는 소식을 듣고 떠나는 길이었다.

최 대감이 개령을 지날 때였다.

그 고을 냇가에 고을 수령 몇몇이 모여 앉아 술을 마시고 있었다. 한창 흥취에 빠져 있던 그들 앞으로 최 대감 일행이 지나쳐 갔다.

"아니, 저 버릇 없는 것들 같으니라고! 감히 이 고을 수령 앞을 말을 타고 빤빤히 지나가다니…… 상복 차림인 것을 보니 이 근처 시골 선비쯤 될 것 같은데."

"그러게 말이오. 내 저들을 불러다 단단히 혼을 내 주겠소."

고을 수령들은 술도 거나하게 취했고, 마침 심심하던 차라 부하들을 시켜 종놈을 잡아 오라 했다.

군졸들은 최윤덕 집 하인에게 잠깐 할 얘기가 있다며 잡아 끌고 갔다.

"네 이놈, 네 죄를 네가 알렷다."

"예? 죄라구요. 무슨 말씀이신지?"

"고을 수령을 보고 그냥 지나친 죄가 얼마나 큰지 아느냐, 모르느냐? 너의 수인을 만나 그 죄를 물어야겠다. 네 잘난 주인의 이름이 무엇이냐?"

"네, 최고불이라고 합니다."

"뭐, 최고불이라고? 이름을 대라고 했는데, 이놈이 아직 정신을 못 차렸구나."

옛 풍속에 노인을 가리켜 고불이라고 불렀다. 또 아들이 아버지를 말할 때도 그렇게 불렀다. 최 대감 집 하인이 아무 곳에서나 신분을 밝히기 꺼려하는 주인을 배려하여 그렇게 대답한 것이다.

화가 난 수령은 긴 막대기로 하인을 후려쳤다. 몇 대 맞고 난 하인은 할 수 없이 입을 열었다.

"아, 그만, 그만 하십시오. 말씀드리겠습니다. 주인 어른의 이름은 최윤덕입니다. 상을 당하셔서 급히 고향으로 내려가시는 길입니다."

"지금 뭐라고 했느냐? 정승 최윤덕이라고? 아이고, 우린 죽었다."

놀던 자리를 정리한 수령들은 얼른 최 대감이 있는 곳으로 달려갔다.

한참을 기다려도 오지 않던 하인이 그 지방 수령들과 나타났다.

"왜 이리 늦게 오느냐? 또, 저들은 무슨 일로 저리 몰려다닌단 말이냐?"

최 대감 집 하인은 자초지종을 말씀드리고, 꿇어앉은 수령들은 용서를 빌었다.

"대감님을 몰라 뵙고 죽을 죄를 지었습니다."

최 대감은 그간의 사정을 듣고, 사시나무 떨 듯이 떨고 있는 수령들을 향해 호령했다.

"나를 몰라 본 것은 죄가 되지 않는다. 하지만 한 고을의 수령들이 술자리를 하면서 지나가는 백성을 잡아 실없이 놀리는 것은 벌을 받아 마땅하다. 관리로서 힘없는 백성들을 함부로 대한다면 나라 안이 어찌 되겠는가?"

죄를 묻겠다는 최 대감의 서릿발 같은 호령에 수령들은 앞이 캄캄했다.

"그대들에게 벌을 내릴 것이 당연한 일이나, 내가 모친상을 당해 바빠 가는 길이고, 그대들 또한 죄를 뉘우치고 있으니 이번 한 번만은 용서해 주겠다."

최 대감은 하인을 재촉하여 길을 떠났다.

꾀 많은 동생과 바보 형

어느 마을에 부모님이 안 계신 형제가 의좋게 살아가고 있었다. 사람들은 형을 가리켜 바보라고 불렀다.

아버지의 제삿날이 다가왔지만, 이들 형제는 가진 것이 없어 제삿상을 차릴 수가 없었다.

두 형제는 의논 끝에 이웃집에서 곡식을 훔쳐 오기로 했다. 살금살금 부엌으로 향하는데, 그 집 주인이 방에서 나오고 있었다.

형제는 잽싸게 섬돌 밑에 엎드렸다. 집주인은 소변이 급했던지 섬돌 위에 쉬를 했다.

"아우야, 웬 비가 이렇게 따뜻하냐?"

바보 형이 이렇게 소리 내어 묻는 바람에 그만 들키고 말았다.

"이놈들, 기운 센 장정놈들이 일은 안 하고 남의 집 물건을 훔치려 들다니!"

"잘못했습니다. 그러니 저희들을 줄로 꽁꽁 묶어 몽둥이로 때려 주십시오."

형제는 서로 벌을 내려 달라고 애원했다.

주인은 그 형제에게 벌을 주고 난 뒤 조용히 타일렀다.

"너희들이 죄를 반성하고 있으니 내 용서하겠다. 다시는 이런 일이 없도록 하거라."

집 주인은 제사를 지내려고 그랬다는 아우의 말을 듣고 팥 한 섬을 주었다.

다음 날 동생은 팥죽을 쑤면서 형에게 제사를 지내게 스님을 모셔 오라고 했다.

"아우야, 난 스님을 본 적이 없어. 어떻게 생겼니?"

바보 형은 바쁜 동생을 붙들고 물었다.

"형님, 산 속의 절로 들어가서 검은 옷을 입은 분을 찾으면 됩니다."

"알았어. 검은 옷, 검은 옷……."

바보 형은 혹시라도 잊어버릴까 봐 입 속으로 중얼중얼했다.

산 속으로 들어간 형은 나뭇가지에 까마귀가 앉아 있는 것을 보았다.

"스님, 스님, 저희 집으로 가십시다. 가셔서 제사를 올려 주십시오."

형은 까마귀에게 정중히 부탁드렸다. 그러나 까마귀는 들은 체 만 체 날아가 버렸다.

"아우야, 내가 산 속에서 나뭇가지에 앉아 있는 스님을 발견했어. 그런데 내 말을 듣지도 않고 날아가 버렸지 뭐냐."

집으로 돌아온 형은 기가 막히다는 듯이 투덜거렸다.

"형님, 그것은 까마귀라는 새입니다. 다시 가서 누런 옷을 입은 분을 찾으십시오."

동생은 화를 내지 않고 형에게 자세히 일러 주었다.

바보 형은 부리나케 산 속으로 달려갔다. 한참을 가니 저쪽에 꾀꼬리가 앉아 있는 것이 보였다.

"스님, 저희 집으로 가서 재를 올려 주십시오."

꾀꼬리는 사람이 다가와 소리를 내자 후르르 날아가 버렸다.

"아우야, 스님이 어여쁜 모습으로 앉아 있다가 또 날아가 버렸다. 에이, 힘들구나."

"형님, 그것은 스님이 아니고 꾀꼬리라는 새입니다. 죽이 이제 거의 다 쑤어졌으니 여기 계세요. 제가 스님을 모셔오겠습니다. 그 동안 죽이 끓어 넘치거든 국자로 떠서 오목한 그릇에 담아 놓으세요."

동생이 떠난 뒤 죽이 끓어 넘치기 시작했다.

"아이고, 죽이 넘치네. 아우가 뭐라고 했더라…… 그래, 오목하게 생긴 것에 담아 놓으라고 했지. 오목하게 생긴 것이라…… 오목하게……."

바보 형은 오목하게 생긴 것을 찾아 집 안을 헤맸다.

처마 밑을 보니 빗물이 떨어져 속 안이 패어 오목하게 된 섬돌이 보였다. 형은 죽을 그 속에다 부어 넣었다.

동생이 스님과 함께 집으로 돌아와 보니, 죽이 모두 쓸모없게 되어 있었다.

절세의 명기, 황진이

아름다운 처녀가 다리 밑 빨래터에서 빨래를 하고 있었다. 그 처녀의 이름은 현금이라 했다. 다리 위를 지나던 단정한 선비가 그녀를 보고 한눈에 반해 그 자리에 머물러 있으면서 눈짓을 보내 왔다.

"아가씨, 저 다리 위를 좀 봐. 멀쩡해 보이는 웬 선비가 아까부터 한 자리에서 떠날 줄을 모르고 서 있어. 아마 아가씨 때문에 넋이 나간 것 같아."

"그러게 말이야. 현금 아가씨를 뚫어져라 바라보고 있어."

"어휴, 아주머니들, 놀리지 마세요. 저 이만 가 볼게요."

하던 빨래를 걷어 가지고 집으로 돌아온 아가씨는 다리 위에서 곁눈으로 보았던 선비에게 왠지 마음이 끌렸다.

해질 무렵 아가씨는 물을 길으러 우물가로 나갔다. 그 곳에 웬 선비가 두리번거리며 서 있었다. 낮에 다리에서 보았던 그 선비님이었다.

"아가씨, 죄송합니다만 물 한 바가지만 떠 주시겠소? 목이 말라 그럽니다."

아가씨는 표주박에 물을 떠서 선비에게 건넸다.

물을 맛있게 받아 마신 선비는 현금에게 자신의 애타는 심정을 알렸다. 그래서 그들은 서로 사랑하게 되었고, 딸 황진이를 낳았다.

황진이의 단아한 모습과 뛰어난 재주는 당대 제일이었다.

개성에 송 공이 부임해 왔을 때의 일화가 있다. 마침 명절도 되고 해서 잔치가 벌어졌다. 황진이도 그 자리에 초대되어 왔다.

송 공은 황진이의 이름만 들었을 뿐 얼굴은 알지 못했다. 술자리라 기생들이 여러 명 있었다. 좌중을 돌아보던 송 공의 눈이 한 곳에 멈췄다. 그 여인은 몸가짐이 단정하고 예의에 어긋난 행동을 하지 않았다.

"저기, 저 여인은 처음 보는데……."

"아, 저 여인이요? 절세의 명기 황진이라 하오."

옆자리에 앉은 관리로부터 이야기를 전해 들은 송 공은 무릎을 탁 쳤다.

'과연 소문대로 아름답고 총명해 보이는구나.'

송 공의 마음을 눈치 챈 그의 첩은 이를 질투하여 그 자리에서 망신을 주었다. 술자리는 엉망이 되어 버리고 손님들은 모두 가 버렸다.

또, 송 공의 어머니의 환갑 때였다. 친지와 이웃 마을의 수령들이 초대되어 왔다. 송 공은 잔치에 화장기 없는 얼굴로 참석한 황진이를 보고, 그녀와 이야기를 나누고 싶었다.

잔치가 끝나고 황진이를 불러 가까이에서 노래를 부르게 했다. 노랫

소리는 마치 꾀꼬리가 우는 듯이 맑고 고왔다. 송 공은 황진이의 재주를 입에 침이 마르도록 칭찬했다. 또 가야금의 명수인 엄수도 황진이의 외모와 목소리를 천하 제일이라고 감탄했다.

이런 일도 있었다. 중국 사신이 개성으로 들어오는 행렬이 있었다. 성안 사람들은 이들을 구경하려고 거리를 가득 메웠다.

말을 탄 사신은 사람들을 휘 둘러보다가 한 여인에게 눈이 멈췄다.

"여보시오, 통역관. 저 여인은 누구요? 내가 지금까지 본 여인 중에 가장 아름답소. 절세미인이오."

"아, 저 여인은 명기 황진이입니다. 인물도 아름답지만 시와 글에도 능통하답니다."

황진이는 기생이긴 했지만, 사치스럽고 화려한 것을 좋아하지 않았다. 또한 속된 것을 좋아하지 않았기 때문에 천한 사람들과는 어울리지 않았다. 돈이 없는 선비라도 그들과 대화하고 시를 짓는 것을 좋아했다. 황진이는 서경덕 선생을 흠모하여 그와 함께 시를 논하곤 했다.

곁에서 황진이를 지켜본 사람들에 의하면, 그녀의 방 안에서는 인간 세상의 것이 아닌 신비로운 향기가 늘 감돌았다고 한다.

종의 자식도 사랑한 황희 정승

세종 때 유명한 정승으로 익성공 황희라는 분이 계셨다. 성품이 인자하고 아랫사람을 아끼는 마음이 남달랐다.

"얼마나 마음이 너그러운지 정승 댁 하인과 하녀가 사람들 앞에서 히히덕거리고 까불어도 핀잔 한 번 주지 않는다는군요."

"나도 들었어요. 대감은 부리는 사람들이 실수를 저질러도 욕하거나 때리지 않는다고 하더군요."

정승 댁 종들과 마을 사람들은 그를 진심으로 존경하고 우러러보았다. 게다가 황희 정승은 얼굴에 기쁜 표정이나 화난 기색을 보이지 않았다. 항상 온화한 미소로 집안 사람들을 바라볼 뿐이었다.

정승은 가족들을 불러 주의를 시키곤 했다.

"종의 신분이라 해도 사람이란 모두 귀한 것이다. 하늘이 내리신 똑같은 백성이니 깔보고 함부로 부려서는 안 된다."

하루는 황희 정승이 뒤뜰을 산책하고 있었다. 동네 꼬마들의 왁자지껄한 소리가 들려왔다.

"와, 조금만 더…… 아니, 이쪽으로……."

한 아이가 긴 막대기로 배나무에 달린 배를 떨어뜨리고 있었다.

"안 되겠다. 이제는 돌멩이를 던져 배를 떨어뜨려 보자."

"그래, 그게 좋겠다. 에잇, 떨어져라!"

아이들은 근처의 돌을 주워 배나무를 향해 힘껏 던졌다. 배가 땅에 후두둑 떨어졌다. 하지만 배는 뜰 안으로 가득 떨어졌다. 아이들의 실망하는 소리가 이어졌다.

"에잇, 정승 할아버지네 집 안으로 더 많이 떨어졌네."

"이리 오너라. 아무도 없느냐?"

황희 정승은 큰 소리로 하인을 불렀다. 담 밖에서 배나무에 돌팔매질을 하던 동네 아이들은 숨을 딱 멈췄다.

"주인 마님, 부르셨습니까?"

"저기 담장 밑에 떨어진 배들이 보이지? 저걸 주워서 담 밖에 있는 개구쟁이들에게 나누어 주어라."

보통 노인 같았으면 버릇 없는 아이들이라고 크게 혼을 내 주었을 것이다. 황희 정승은 이렇듯 웬만한 일에는 성을 내지 않았다.

어느 날, 장원급제하여 정언 벼슬을 하게 된 이석형이 황희 정승 댁에 인사차 왔다.

"대감 어른, 그간 안녕하셨습니까? 건강은 어떠신지요? 그 동안 뵙고 싶었습니다."

"큰일을 해냈구먼. 부디 힘없고 선량한 백성을 위해 좋은 일을 많이 해 주게나."

황희는 《통감강목》이라는 책을 한 권 꺼내 놓고 책 표지를 써 줄 것을 부탁했다.

이석형이 몸 둘 바를 모르며 조심스레 붓을 잡았다.

"대감마님, 손님에게 다과상을 내 올까요?"

이 집의 하녀가 들어와 아뢰었다.

"손님께서 글을 쓰시는 중이니 나중에 부르겠다."

하녀는 황희 정승 옆에 앉아 이석형의 글 쓰는 것을 구경했다. 그것이 재미없었는지 연신 몸을 비틀어 댔다.

"어휴, 답답해. 언제나 다 쓰시려나?"

"얘야, 이제 다과상을 준비하렴."

황희 정승은 너털웃음을 웃으며 허락하였다. 이를 지켜본 이석형은 깜짝 놀랐다.

'아니, 저럴 수가? 감히 정승 어른 앞에서 하녀가 술상을 독촉하고 어른은 그냥 웃기만 하네.'

하녀가 곧 다과상을 내왔다.

그러자 어떻게 알았는지 몇 명의 아이들이 우르르 몰려들었다. 밖에서 종일 놀았는지 발은 새카맣고, 코를 질질 흘렸으며, 옷은 지저분했다. 하인의 아이들은 아무 거리낌 없이 다과상에 몰려들어 맛난 음식을 맨손으로 주워 먹기 시작했다. 어떤 아이들은 황희 정승의 무릎에 앉거나 등을 타고 기어오르기도 했다.

황희 정승은 아이들의 할아버지라도 되는 양 그들의 어리광을 다 받아 주었다.

"허허허, 오늘도 밖에서 하루 종일 놀았구나. 그래 재미있더냐?"

"예, 할아버지. 오늘도 옛날 이야기 들려 주세요, 네?"

"오늘은 손님이 계시니 내일 들려 주마."

"에이, 그럼 밖에서 더 놀다 와야겠다. 얘들아, 나가자."

대장인 듯한 아이가 신호를 하자 아이들이 우르르 몰려나갔다.

이석형은 그 난장판을 보고 할 말을 잊은 채 우두커니 앉아 있었다.

"대감마님, 저들의 무례함을 왜 그냥 두고 보십니까? 엄하게 꾸짖어 가르쳐야지요."

"허허, 그렇지 않네. 예의가 없다고 성품마저 악하지는 않네. 다만 배움이 없어서일 뿐이야. 저 아이들은 속 다르고 겉 다르지 않네. 다만 어린아이들이 격식을 가리지 않고 사람을 대한 것뿐이지. 내 자식이 귀여우면 남의 자식도 귀한 법이야. 백성을 사랑하는 마음이 없이 단지 글만을 깨우쳐 관리가 된 자는 진정한 관리라고 할 수 없네."

이석형은 자기 자신을 두고 한 말 같아 깊이 반성하였다.

부처님의 벌을 받다

하경청과 송구는 어릴 적부터 한 마을에서 같이 자란 친구 사이였다. 그들은 과거 공부를 하기 위해 절로 들어가 열심히 공부했다.

그 절에는 불공을 드려 소원 성취한 사람이 많다는 소문이 퍼져 항상 사람들로 붐볐다. 하루는 큰 부자가 아들 낳기를 비는 불공을 드리러 와서 준비가 한창이었다.

날이 저물자, 사람들은 각자의 처소로 돌아가고, 절간은 조용했다.

하경청은 밤늦도록 글을 읽다가 갑갑하여 밖으로 나왔다.

'아, 내 신세는 언제나 나아지려나? 재물만 부처님께 바치면 모든 소원이 다 이루어진다고 하는데…… 나는 집도 없고 가진 것이라곤 아무것도 없으니, 어휴, 내 신세야.'

신세 한탄을 하던 하경청은 젊은 혈기에 법당으로 들어가 불상을 엉망으로 만들어 버렸다.

다음 날 법당 안은 난장판이었다. 부처님의 얼굴이 여기저기 구멍이 나고 흠집이 나 있었기 때문이었다.

그 곳에 모인 사람들은 놀라서 입을 다물지 못했다.

"세상에, 누가 저런 짓을…… 벼락 맞을 짓이야."

"글쎄 말이야. 어느 놈인지 잡아다가 곤장을 쳐야 해."

이곳 저곳에서 사람들이 수군거리자, 주지 스님이 나섰다.

"아니오. 이것은 사람의 짓이 아니오. 부처님이 우리 주변에 나쁜 일이 일어나고 있으니 경계하라는 뜻으로 일러 주신 것이오."

스님은 이 자리를 이렇게 정리하고, 사람들을 집으로 돌려 보냈다.

하경청은 이 일이 있은 후에도 가끔 나쁜 짓을 하곤 했다. 하지만 공부는 게을리하지 않아 다음 해 과거에 합격했다.

관리가 된 하경청은 마음이 해이해져 술과 여자에 빠져들었다.

결국 관직에서 쫓겨난 그는 한 초라한 집에서 사람들의 비웃음을 들으며 살고 있었다.

어느 날, 하경청의 집은 알 수 없는 불길에 휩싸이고 말았다. 결국 그는 사람들의 도움 없이 불에 타 죽고 말았다.

훗날 하경청의 친구 송구로부터 불상에 관한 일을 전해 들은 사람들은 혀를 내둘렀다.

"아이구, 망측해라. 그 사람이 재주가 있다고 해도 이렇게 세상을 마친 것은 다 부처님께 행패를 부린 때문이야."

"맞아, 다 뿌린 대로 거둔다고 했어. 부처님께 그런 짓을 하고 무사할 것 같아?"

"결국엔 불에 타 죽게 됐으니……."

사람들은 하경청이 출세도 못하고 비참하게 세상을 마친 것은 부처님이 벌을 내린 것이라고 믿었다.

뱀에 대한 미신

오래 전 화장사 법당 뒤에 큰 바위가 하나 있었다. 어떻게 된 일인지 그 바위에는 구멍이 깊게 뚫려 있었다.

날씨가 흐리거나 바람이 심하게 부는 날이면 바위 구멍에서 김이 모락모락 피어올랐다.

사람들은 그 속에 마을을 지켜 주는 수호신이 산다고 믿고 있었다.

한번은 스님이 그 곳을 지나다가 무엇이 스르르 기어나와 날름거리는 것을 보았다. 깜짝 놀란 스님은 한달음에 절로 뛰어 내려갔다.

그 뒤로 사람들은 뱀 수호신이 산다고 확신하고 그 곳을 찾아 소원을 빌곤 했다. 병에 걸린 사람, 자식이 없어 애태우는 사람 등 바라는 것을 이룰 힘이 없는 사람들이 이 곳을 찾았다. 그들은 갖은 정성을 들여 음식을 차려 놓고 향을 피운 후에 북과 징을 울려 대곤 했다.

그러면 하얀 연기가 피어오르고 이내 뱀이 모습을 나타냈다. 뱀은 차려진 음식을 배불리 먹고 또 스르르 바위 구멍으로 들어가 버리곤 했다. 병이 낫고, 소원이 성취되었다는 소문이 사람들의 입을 타고 전해졌다. 오십 년이란 긴 세월 동안 그 곳은 여러 사람들이 즐겨 찾는 곳이 되었다.

그 날도 마침 한 노인이 불치병에 걸린 손자의 병을 낫게 해 달라고 간절히 기도하고 있었다.

인근 마을에 사는 박만호는 활쏘기와 무술에 능했다. 산을 찾아 무술 연습을 하던 그는 노인이 두 손을 빌며 기도를 올리고 있는 광경을 보았다.

"아니, 저건 큰 뱀이 아닌가? 잘못하면 저 노인이 다치겠는걸."

박만호는 등에 지고 있던 화살을 내려 뱀을 향해 겨누었다. 뱀은 화살을 피하지 못하고 그 자리에서 죽고 말았다. 이 절의 스님들은 어찌할 바를 모르고 바위 구멍을 바라보며 절만 했다.

"큰 재앙이 내릴지도 모르겠네. 이 마을의 수호신이 죽고 말았으니…… 수호신을 죽인 자도 반드시 큰 화를 당할 게야."

박만호는 사람들이 모여들자, 그 자리를 급히 떠났다.

그 뒤로 박만호는 무과에 급제하여 높은 벼슬을 지냈다.

벼슬에서 물러나 한가로이 고향에 내려와 지내던 그는 문득 옛생각이 나 그 절을 찾았다.

"아니, 당신은 어디서 본 듯한데?"

그 절에 계신 스님 중에 그를 기억하는 분이 있었다.

"그렇소. 내가 영험하다는 뱀을 활로 쏘아 죽인 박만호란 사람이오. 그 때 사람들은 나에게 재앙이 내릴 것이라고 떠들었소. 하지만 보다시피 머리가 희끗희끗하게 오래 살고 있고, 높은 벼슬도 했소. 사람들은 마음이 약해서 보잘것없는 것들에 마음을 빼앗기고 있소. 뱀도 한낱 미물에 불과한 것이오. 복과 화는 다 자기 하기 나름이오. 하늘도 스스로 돕는 자를 돕는다고 하지 않소. 미신을 따르는 것은 옳지 않은 일이오."

박만호의 얘기를 듣고 난 절의 스님들은 고개를 끄덕였다.

운명을 알린 소나무

서울 서소문동에 오래 된 소나무 한 그루가 담장 밖으로 그 가지를 뻗고 있었다.

"저 집이 퇴계 이황의 집이라지?"

"그래, 여기에서 제일 오래 되고 키가 제일 큰 소나무가 있는 집을 찾으면 되지."

임진왜란을 겪으면서 대부분의 나무들이 죽고 말았으나, 유독 이황 선생의 집의 소나무만은 푸르게 잘 자라고 있었다.

그 때가 광해군 3년, 계절은 만물이 파릇파릇한 봄이었다.

"대감 마님, 큰일났습니다."

"웬 소란이냐?"

"안뜰에 있던 소나무가 글쎄…… 꺾여 쓰러지고 말았습니다."

이황 선생은 즉시 소나무가 있는 뜰로 달려 나갔다.

"쯧쯧, 이게 웬일이란 말이냐? 간밤에 벼락이 친 것도 아니고, 사람들이 일부러 손댄 것 같지도 않은데……."

마을 사람들도 안타까워하며 수군거렸다.

"이건 안 좋은 일이 일어날 징조야."

"맞아. 요즘 세상이 시끄러운데, 이황 선생님 댁에 아무 일이 없어야 할 텐데……."

쓰러진 소나무의 징조였을까.

정인홍이라는 사람이 박여량, 박건갑 등으로 하여금 이황을 모함하는 글을 임금에게 올리게 했다. 그 내용이 말도 안 되는 것들이 너무 많아 각지의 유생들이 궁궐로 몰려 갔다. 그들은 임금에게 선생의 억울함을 호소하는 상소를 올렸다.

마을 사람들은 이 일이 있자, 갑자기 부러져 쓰러진 소나무를 기억해 냈다. 그리고는 하늘이 내려 준 올바른 사람은 이처럼 운명도 알려 준 다고 여겼다.

오리 셈하기

한 마을에 콩과 보리도 구별하지 못하는 바보 총각이 살고 있었다. 꾀 많은 사람들은 그를 놀려 대곤 했다.

"아이고, 재미있어라. 오늘은 무얼 가지고 저 숙맥을 놀려 주지?"

콩과 보리도 구별 못하는 총각은 마침 오리를 기르고 있었다.

"히히, 오늘도 오리가 몇 마리 늘었는지 세어 볼까?"

오리 기르는 재미에 푹 빠진 총각은 매일매일 오리 숫자를 세어 보기 시작했다. 하지만 숫자를 셀 줄 모르는 총각은 오리를 쌍으로만 세곤 했다.

"하나 둘, 하나 둘, 하나 둘…… 짝이 다 맞네."

둘씩 짝을 맞춰 본 바보 총각은 만족스러운 듯 빙긋 웃었다.

문밖에서 총각의 모습을 지켜본 꾀보 총각은 배를 잡고 웃었다.

그날 밤 꾀보 총각은 오리를 한 마리 훔쳐 집으로 가져가 삶아 먹었 다. 다음 날, 바보 총각은 오리를 셈하다가 그만 화를 벌컥 냈다.

"아니, 이럴 수가? 감히 누가 내 오리에 손을 대다니…… 오리가 짝 이 맞지 않으니 한 마리가 없어진 게 분명해."

바보 총각은 여러 사람에게 알아본 결과 범인이 누구인지 알아내었 다. 그는 당장 꾀보 총각 집으로 달려갔다.

"야, 너 이리 나와 봐. 네가 내 오리를 훔친 거 다 알고 왔어. 내일까 지 당장 내 오리 물어내지 않으면 관가에 고발할 거야."

"알았어. 내가 다른 오리로 갖다 줄게."

꾀보 총각은 그날 밤 바보 총각 집으로 가서 또 오리 한 마리를 잡아다 삶아 먹었다.

다음 날, 바보 총각은 다른 날과 마찬가지로 오리를 세어 보기 시작했다.

"하나 둘, 하나 둘……."

오리 세기를 다 마친 바보 총각의 얼굴에 웃음이 피어올랐다.

"자식, 내가 무섭긴 무서운가 보지. 밤 사이 오리 한 마리를 채워 두었네. 이제 오리가 짝으로 딱 맞네, 히히."

어머니의 부탁도 거절한 정갑손

정갑손의 인품은 사람들에게 널리 알려져 있다.

높은 벼슬에 있으면서도 지위를 내세워 사람들에게 함부로 하는 일이 없었으며, 공적인 일과 사적인 일은 정확하게 구분지을 줄 알았다.

정갑손은 먹고 사는 일에 무심하여 나물 반찬에 멍석을 깔고 지내는 일이 허다했다. 하지만 손님이 찾아오는 날에는 찬 없는 상이라도 정성껏 대접했다.

정갑손이 승지로 있을 때의 일이다. 그의 어머니가 아들에게 사적인 부탁을 해 왔다.

"어머님, 죄송합니다. 관직의 자리를 빌려 그런 일은 할 수 없습니다."

아들의 단호한 거절에 어머니는 그만 기가 막혔다. 어머니는 아들의 방을 나와 남편인 정흠 판서에게 달려갔다.

"여보, 내 말 좀 들어 보시오. 저 애가 내가 낳은 아들이 맞소? 그래

애미가 조그만 부탁을 했는데, 찬바람이 불도록 그렇게 매몰차게 거절한단 말이오?"

"하하, 그렇지. 참 서운했겠소. 하지만 성격이 분명해서 그렇지 딴 뜻은 없을 게요. 관리란 나라의 돈을 받고 백성을 위해 일하는 사람이 아니겠소. 당신이 이해해 주구려."

대사헌이 된 정갑손은 나라의 기강을 바로 잡는 일에 온 힘을 기울였다. 사람을 현혹시키는 스님들의 서울 출입을 통제했으며, 사리에 맞지 않는 일을 하는 관리는 엄하게 꾸짖었다. 지위가 높든 낮든 상관하지 않았다.

언젠가는 정승 하연과 재상 최부를 임금 앞에서 신랄하게 비판했다.

"두 분은 대체 나랏일을 어떻게 하고 계신단 말이오? 백성들이 무얼 바라는지 귀기울여 보았소? 책상 앞에만 앉아 계시지 말고 직접 알아보시오."

두 재상은 정갑손의 성품을 잘 알고 있는지라 아무 대꾸도 못했다.

회의를 끝내고 나온 두 재상은 정갑손의 손을 잡으며 진심으로 반성했다.

"우리들이 그 동안 나랏일에 너무 무심했던 것 같소. 내 충고 잘 받아 드리리다."

"나도 너무 격분했던 것 같소. 서로 나랏일을 잘해 보고자 함이오."

대궐에 이 일이 알려지자, 많은 이들이 훌륭하신 분이라고 고개를 끄덕였다.

정수를 축원하다

사람의 욕심은 끝이 없다고 한다. 그 중에도 오래 살고 싶은 소망은 사람이면 누구나 바라는 바이다.

　오래 전 한 마을에 민대생이라는 노인이 살고 있었다.

　"저 집의 노인 영감은 이번 설을 세면 90세가 넘는다지?"

　"복 받은 노인네야."

　설날 아침 가족들과 친지들은 마을에서 제일 어른인 노인을 찾아 세배를 드렸다.

　"큰아버님, 건강하셔서 백 세까지 장수하십시오."

　제일 큰조카가 절을 올리면서 축원을 올렸다.

　"뭐라고, 너 지금 뭐라고 했냐? 내 나이 90이 넘어 백 세가 몇 년 안 남았거늘, 그럼 나더러 몇 년만 살고 죽으라는 게냐? 이런 고얀놈, 썩 나가거라."

　큰조카는 별 뜻 없이 장수를 축원드렸는데, 노인 말대로 계산해 보니 그렇게 되어 버렸다. 머리를 긁적이며 밖으로 나간 뒤, 다른 조카가 들어왔다.

　'이거 참, 뭐라고 인사말을 해야 하나? 입 다물고 절만 올릴 수도 없는 노릇이고…….'

　방으로 들어온 다른 조카는 난감했다. 노인은 좀전의 일로 심사가 뒤틀렸는지 얼굴이 편치 않아 보였다.

　'아, 그래. 그게 좋겠다.'

　번뜩 스치는 말이 생각난 둘째 조카는 넙죽 절을 올리고 축원을 했다.

　"숙부님, 건강하셔서 백 년을 사시고, 또 백 년을 장수하십시오."

　"하하하, 그래 고맙구나. 내 기특한 조카를 두었네."

　노인은 둘째 조카의 말에 매우 흡족해하며 진수성찬을 준비하여 배불리 먹여 보냈다.

욕심이 부른 재앙

조선 세조 때의 학자 신숙주는 훈민정음을 편찬하는 데 많은 공을 세운 분이다. 그의 아들 신정도 학문이 높아 젊은 나이에 재상의 지위에까지 올랐다.

그는 왕실을 잘 보살피고 정치를 잘 하였다고 인정받아 공신으로서 많은 재물과 권력을 지니게 되었다.

하지만 아버지만한 아들이 없다고 했던가. 아들 신정은 욕심이 끝이 없었다.

고령현이라는 곳에 절 하나가 있었다. 그 절에는 몇 명의 종이 딸려 있었다. 그 중에 한 명이 재물을 많이 가진 부자라고 소문이 났다.

신정은 그 종이 가진 희귀한 보물들이 욕심이 나 견딜 수가 없었다.

'아, 그 종은 내가 갖지 못한 진기한 것들을 많이 가지고 있다. 어떻게 하면 그것들을 내 손에 넣을 수 있을까?'

며칠 동안 그 보물들이 눈앞에 아른거려 잠을 이룰 수가 없었다.

'그래, 임금님의 도장을 거짓으로 만들어 그 종을 내게 주시는 것으로 꾸미면 되겠지.'

신정은 곧 문서를 꾸미기 시작했다.

> 임금이 명하노니, 이 절에 딸린 종은 모두 공신 신정의 노비로 삼도록 하라.

성종 임금의 옥쇄를 위조하여 곧 절로 사람을 보냈다. 부자인 종은 신정의 차지가 되었다.

하지만 나쁜 일은 곧 탄로가 나는 법이다. 이를 수상히 여긴 절의 승

려가 이 사실을 다른 관료에게 알리게 되고, 임금님 귀에까지 전해지게
되었다.

신정은 결국 옥에 갇히는 신세가 되고 말았다.

아버지 신숙주의 공로를 잊지 않고 있는 성종 임금은 신정이 갇혀 있
는 의금부로 향했다.

신하를 시켜 신정을 대령시킨 후 임금은 조용히 타일렀다.

"너는 관직에 몸 담고 있는 몸으로 문서를 위조했다. 그 죄가 얼마나
큰지 잘 알 것이다. 하지만 네 아버지의 크나큰 공을 생각하여 너에
게 기회를 주겠다. 네가 네 죄를 인정하지 않고 있으니, 지금이라도
실토하고 용서를 바란다면 죄를 감해 줄 것이다."

신정은 망설였다.

'이 일을 어쩐담…… 잘못을 인정하고 죄를 빌어 볼까? 아니야, 이왕
일이 이렇게 된 것, 끝까지 내가 한 일이 아니라고 우겨 보는 거야.
그러면 임금님께서도 믿어 주실지 몰라.'

신정은 마음을 굳힌 후, 두 눈에서 굵은 눈물을 쏟으며 통곡했다.

"억울합니다, 임금님. 저는 문서를 위조한 일이 없습니다. 그건 저를
모함하려는 자들이 꾸민 짓이옵니다. 살펴 주십시오."

성종 임금은 다 밝혀진 일을 부인하는 신정이 안타까워 보였다. 임금
님은 더 이상 설득하려 하지 않고 그 자리를 서둘러 떠났다.

임금님은 궁궐로 떠나기 전 신정을 생각해서 다시 한 번 그 일을 조
사하도록 지시했다.

그로부터 며칠 후, 강희맹을 비롯한 몇몇 신하들이 임금 앞에서 회의
를 했다.

"소인 아뢰옵니다. 죄인 신정은 재상의 몸으로 나라의 귀중한 문서를
위조하였습니다. 게다가 자신의 죄를 인정하지 않고 있으니 그 죄가

더욱 큽니다. 비록 나라를 위한 공이 크다고 하지만, 다른 관료들의 본보기가 되도록 사형에 처하심이 마땅합니다."

다른 신하들의 의견도 일치되었다. 임금님은 더 이상 어쩔 도리가 없었다. 사형을 허락하는 문서를 내렸다. 신정은 결국 쓸데없는 재물 욕심으로 죽음을 맞고 말았다.

후세 사람들은 훌륭한 아버지 신숙주의 시신이 다 썩기도 전에 신정이 값없는 죽음을 맞이한 것을 안타까워했다.

딴 짓을 해도 제 할 일은 한다

무언가 뛰어난 사람들은 사소한 일에는 관심을 두지 않는다. 그래서 주변 사람들로부터 따돌림을 받거나 시기의 대상이 되기도 한다.

하륜도 그런 사람들 중의 하나다. 그는 올바른 정치를 하여 백성들을 보살피는 일에만 골몰할 뿐 주변 일에는 관심을 두지 않았다.

그런 하륜도 기생들이 가야금을 뜯으며 부르는 노랫가락에 장단을 맞추는 취미가 있었다.

하륜이 영천 고을의 원님으로 있을 때의 일이다.

그 날도 백성들이 올린 억울함을 해결해 주기 위해 일을 보던 중이었다. 동헌 위쪽에 발을 내리고 기생들에게 풍악을 울리라 했다. 곧 가야금 소리가 들리고 기생들의 노랫소리가 울려 나왔다.

재판을 하는 것인지, 잔치를 벌이려는 것인지 소란스러웠다.

하지만 뛰어난 목수는 연장을 탓하지 않는 것처럼 하륜의 일 처리 솜씨는 너무 공정하여 그 곳에 모인 사람들은 감탄해 마지않았다.

"풍악을 듣고 계시는데도 판결을 내릴 때 보면 모든 사람들이 수긍을 할 정도로 정확하셔."

"맞아, 감탄이 절로 나온다니까."

하지만 이런 일이 자주 벌어지자 관리들은 하륜을 헐뜯기 시작했다.

"세상에, 별 해괴한 일이 다 있습니다. 관리가 재판을 하면서 기생을 부르다니요? 이게 어디 될 말입니까?"

"그래도 판결은 잘 한다고 하던데……."

"듣기 싫소. 벼슬아치가 미련한 백성들 보는 앞에서 난장판을 벌여 놓고 일을 한다는 것 자체가 말도 안 되는 일인데, 무슨 공정한 판결이 나올 수가 있겠습니까?"

하륜의 해괴한 행실이 눈에 거슬렸던 관리들은 관찰사 김 공을 찾아가 낱낱이 일러 바쳤다.

관찰사의 평가 점수가 조정에 보고되어 상벌이 판가름나게 되어 있다.

여러 관찰사 중에 특히 김 공이 하륜을 변호했다.

"하륜은 그런 망나니가 아니오. 잠깐 실수를 한 것 같은데, 그런 일로 관직에서 내쫓아서는 안 되오. 내가 알기로 그는 보통 인물이 아니오. 훗날 큰 인물이 되어 그의 도움을 받을지도 모르는 일이오. 마음들을 가라앉히고 그의 일 처리 능력만을 평가합시다."

여러 관리들을 진정시키느라고 김 공은 등에 식은땀을 흘렸다.

그런 일이 있은 후 시간이 흘러, 하륜은 기세등등하게 높은 벼슬길에 올랐다. 그의 말이라면 임금님도 다 받아들일 정도로 그 권력이 둘째가라면 서러울 정도였다.

사람의 운명은 알 수 없다고 했다. 관찰사 김 공이 억울한 누명을 쓰고 옥에 갇히게 된 것이다. 그는 곧 사형에 처해질 운명이었다.

김 공의 부인이 남편이 갇혀 있는 의금부로 찾아왔다.

"대감, 이 일을 어쩌면 좋단 말입니까? 무슨 연유인지 이렇게 옥에

간혀 내일 모레면 사형을 면치 못한다고 하니, 이 일을 어찌합니까? 흑흑흑.”

“내 말을 잘 들으시오, 부인. 살 길이 있소. 내가 관찰사 시절 하륜 대감께 작은 도움을 드렸소. 그 일을 잊지 않고 있다면 내게도 도움이 돼 주실 것이오. 하륜 대감을 찾아가 보시오.”

김 공의 부인은 그 길로 하륜 대감 댁을 찾았다.

사정 얘기를 듣고 난 하륜은 사람을 시켜 김 공의 일을 자세히 알아보도록 했다.

일의 전모를 알게 된 하륜은 김 공이 죄가 없음을 알고 그를 감옥에서 풀려나게 해 주었다.

인물을 알아본 김 공의 밝은 눈이 자신의 목숨까지 구한 것이다.

거지 스님

스님들은 모두 속세를 벗어난 분들이라 재물과 권력에 욕심을 두지 않는다. 그 중에서도 유명한 스님이 한 분 계셨는데, 자비 수좌라는 분이었다.

그 스님은 항상 떨어진 옷을 기워 입고 다닐 정도로 남루해서, 사람들은 모두 그를 '남루 스님'이라고 불렀다.

또 불쌍한 사람을 만나면 그냥 지나치는 법이 없을 정도로 인자하지만, 도리에 맞지 않는 일을 보면 지위가 높고 낮음에 상관없이 호통을 치곤 했다.

한번은 스님이 마을로 음식을 얻으러 가는 길이었다. 관가를 지나쳐 가는데, 한 소녀가 문 밖에서 안을 들여다보며 눈물을 흘리고 있었다.

“애야, 왜 그리 슬피 울고 있느냐? 내게 얘기를 해 봐라.”

"아, 남루 스님. 저희 아버지께서 곤장을 맞고 계십니다. 끼닛거리가 없어 남의 집 쌀을 훔치다가 그만…… 흑흑……."

소녀의 사연을 듣고 난 스님은 그만 목이 메었다.

'아, 배고픈 자식들을 위해 아비가 도둑질을 했구나. 나무관세음보살.'

남루 스님은 관청으로 갔다.

"원님께 드릴 말씀이 있습니다. 저기 매 맞는 사람에게 빚진 것이 있습니다. 저 사람이 훔쳤다는 쌀은 사실 제가 훔쳐다가 저 집에 갖다 놓은 것입니다."

"뭐라고! 그게 사실이냐?"

"예, 사실입니다. 아이들 여럿이 굶고 있는 게 안타까워 제가 도둑질을 했습니다. 저 사람이 맞을 곤장을 제게 치십시오."

곤장을 맞던 소녀의 아버지는 매를 맞다가 기절할 지경이었다.

"여봐라! 내 사연을 듣고 보니 안타깝구나. 그래도 죗값은 치러야 하니 저 사람이 맞아야 할 나머지 매를 저 스님에게 치도록 하라."

스님은 거짓말을 하고 매를 대신 맞았다. 다리를 절뚝이며 관청을 나온 스님을 본 소녀의 아버지는 눈물을 비오듯 흘리며 합장을 했다.

"여보시오, 눈물을 그치시오. 가난은 죄가 아니오. 하지만 다시는 도둑질은 하지 마시오. 나무관세음보살."

스님의 뒷모습을 바라보던 소녀의 아버지는 속으로 다짐했다.

'스님, 자비로우신 스님, 다시는 남의 물건에 손을 대지 않겠습니다. 앞으로는 몸이 부서져라 열심히 일해 자식들을 굶기지 않겠습니다. 약속드립니다.'

이처럼 남루 스님은 백 마디 말보다 한 가지라도 몸소 실천을 해 보임으로써 백성들을 가르쳤다.

게다가 학문을 닦는 데도 게으름이 없어 높은 경지에 이르렀다. 그래서 여러 선비들이 스님을 찾아 배움을 청하곤 했다.

남루 스님이 원각사에 계실 때의 일이다. 임금님을 비롯하여 부원군과 공주의 남편인 부마 등 왕실의 귀족들이 불공을 드리려고 절을 찾았다.

임금님의 행렬이 불당으로 이어졌다. 고개를 숙이고 있던 남루 스님에게 눈에 익은 사람이 보였다.

스님은 반가운 나머지 큰 소리로 그를 불렀다.

"여보게! 자네 홍윤성이 아닌가? 그런데 행색을 보니 지체 높으신 분 같네."

그 사람은 왕실의 귀족인 인산 부원군 홍윤성이었다. 남루 스님과는 젊은 시절 학문을 함께하던 사이로, 친한 친구였다.

홍윤성은 거지나 다름없는 중이 자기를 큰 소리로 불러 대며 아는 체를 하자 얼굴이 화끈 달아올랐다.

"아니, 이놈의 거지가 누구 이름을 함부로 불러?"

홍윤성은 말에서 내려 신발을 벗어 스님의 뺨을 갈겼다.

"아야! 친구가 사람 잡네."

이렇게 호되게 당하고도 비슷한 일이 또 생겼다.

언젠가 연성 부원군이 여러 재상들과 함께 원각사로 휴식을 취하러 왔다.

남루 스님은 불공을 마치고 밖으로 나오다가 연못가에 모여 있는 그들을 보았다.

"애야, 저기 저분들은 어디서 오신 분들이냐?"

절에서 심부름을 하는 행자 스님에게 물었다.

"네, 저분들은 대궐에서 나오신 분들이라 합니다. 성함은 잘 모르겠습니다."

"저들 중 한 명은 낯이 익은데……."

멀리서 얼굴 모습이 잘 보이지 않자 남루 스님은 연못 가까이로 다가갔다.

"아, 그래 이석형, 저 가운데 앉아 있는 사람이 이석형이다."

남루 스님의 목소리는 연못가에 모여 있는 그들에게도 크게 들려왔다.

재상들 중의 한 사람이 벌떡 일어나 화를 냈다. 이번에는 그냥 따귀 한 대로 넘어갈 것 같지 않았다.

행자승은 재빨리 주지 스님께 달려가 이 일을 알렸다.

"대감님, 죄송합니다. 우리 남루 스님은 꾸밈이 없어서 체면을 차릴 줄을 모릅니다. 입에서 거를 줄을 모르고 나오는 대로 내뱉으니, 너그럽게 용서하십시오."

주지 스님의 간청으로 재상들도 마음을 누그러뜨렸다.

"참, 별 중이 다 있네."

위기를 모면한 남루 스님은 그 뒤에도 여전히 마음에서 우러나오는 대로 행동하고 말하였다 한다.

신동 정초

정초는 어릴 때부터 사람들의 입에 오르내릴 정도로 명석했다.

"글쎄, 정 도령은 한 번 본 책은 글자 한 자 안 틀리고 모두 외운다는군."

"그게 정말이야? 나이도 어린 도령이 어려운 책을…… 우리 마을에 드디어 신동이 났구먼."

어느덧 정초도 과거 볼 나이가 되었지만, 글공부에는 전념하지 않고 늘 이리저리 놀러만 다녔다. 하루는 아버지가 걱정이 되어 아들을 조용히 불렀다.

"애야, 과거 시험이 곧 닥쳐 오는데, 어쩌자고 놀러만 다닌단 말이냐?"

"아버님, 걱정 마십시오. 책상 앞에 오래 앉아 있는다고 해서 글공부를 많이 하는 것은 아닙니다."

정초는 아버지의 걱정을 덜어 드리기 위해 제안을 했다.

"아버님께서 책을 한 권씩 고르실 때마다 제가 다 외워 보겠습니다. 시작하십시오."

아버지는 정초의 말이 믿기지 않았지만, 많은 책 가운데 한 권을 골라 아들에게 내밀었다. 정초는 책을 한 번 훑어보기 시작했다.

책을 덮은 정초는 책 속의 내용을 모두 말하고, 더불어 해석까지 덧붙였다.

아버지는 믿기지 않는 듯 또 다른 책 몇 권을 골라 시험해 보았다. 결과는 마찬가지로 정초는 책의 내용을 다 파악하고 있었다.

그 뒤로 아버지는 아들에게 글공부하는 것을 강요하지 않았다.

그는 관직에 있으면서도 사람들을 여러 번 놀라게 했다. 군졸 수백 명의 얼굴을 한 번 보고 그 이름과 특징을 모두 말하였다.

또 이런 일도 있었다. 그가 스님을 뵈러 가까운 절을 찾았을 때의 일이다. 그 절의 스님 한 분이 불당에 앉아 책을 펴 놓고 금강경을 읽고 있었다. 그는 스님의 글 읽는 모습을 유심히 바라보았다.

"저는 스님이 읽고 계시는 금강경을 보지 않고 모두 외울 수가 있소."

정초와 낯이 익은 스님이 그 말에 씩 웃으며 대답했다.

"자네가 뛰어난 재주를 가졌음은 익히 들어 알고 있네. 하지만 불경을 한 번에 외운다는 것은 쉽지 않은 일이네. 만약 자네가 한 번에 다 외운다면 내가 한턱을 낼 것이고, 그렇지 못한다면 자네가 크게 한턱을 내게."

정초는 불경을 한 번 쭉 훑어본 뒤 북을 두드리면서 외기 시작했다.

시간이 지날수록 스님은 벌어진 입을 다물지 못했다. 눈앞에서 일어나는 일이 믿기지 않는 듯 머리를 세차게 흔들곤 했다.

정초의 외는 소리를 끝까지 듣던 스님은 탄복하고 말았다.

"내가 졌네. 정말 대단하군."

옛 주인에게 정성을 다한 종

능을 만드는 공사장에 인부로 일하던 유성은 외모가 훤칠했다. 공사를 감독하던 고을 원님이 많은 사람들 중에 눈에 띄는 그를 불러 물어보았다.

"너는 이름이 무엇이며, 어디서 왔느냐?"

"소인은 사대부 집의 종인 어머니와 행상을 하는 아버지 사이에서 태어난 미천한 자입니다."

원님은 그의 관상이 범상치 않음을 보고 그를 부역에서 빼내 집으로 돌려보냈다.

그 후로 유성은 물건을 파는 일에 뜻을 두어 온 힘을 쏟았다. 성실히 일하니, 재산이 날로 불어났다.

생활이 안정되자, 그는 어머님께 지난날을 자세히 여쭈었다.

"어머니, 이제 살 만하니 우리가 도망쳐 나온 옛 주인을 찾아 뵙는 것이 어떻겠습니까? 그 집의 위치와 주인 어른의 성함을 기억하고 계십니까?"

"내가 처녀 적의 일이니, 잘 기억이 나지 않는구나. 하지만 주인 마님이 나를 딸처럼 여겨 잘 대해 주었던 일은 생생하구나. 아마 나랑 같이 지내던 다른 하인들을 찾아 물어보면 알 수 있을 것이다."

유성은 진귀한 것들을 정성껏 포장하여 감찰이었던 옛 주인을 찾아 나섰다.

주인은 이미 오래전에 돌아가셨고, 마님은 행색이 말이 아니었다. 유성은 어머니를 대신해서 마님께 용서를 빌었다.

그 뒤로도 때마다 좋은 물건들을 챙겨 마님께 보내곤 했다.

몇 년이 흐르자, 그렇지 않아도 몸이 쇠약하던 마님의 병이 위중한 지경에 이르렀다. 마님은 임종할 때 유성을 종의 신분에서 풀어 준다는 문서를 만들었다.

마님이 세상을 뜬 뒤로도 유성은 상복을 벗지 않고, 고기는 입에도 대지 않은 채 삼년상을 치렀다. 제사 때면 꼭 참석했고, 명절에는 정성스런 선물을 꼭 보냈다.

유성이 젊었을 때, 재미난 일화가 하나 있다.

그가 깊은 산에 친구들과 놀러 갔다가 죽은 호랑이 한 마리를 발견했다. 그 곁에는 새끼 두 마리가 배가 고픈지 이리저리 핥고 다녔다.

유성은 새끼 호랑이를 데려다가 음식을 배불리 주며 키웠다. 다 자란 호랑이를 산으로 돌려보낸 며칠 후, 유성의 마당에는 죽은 사슴 한 마리가 놓여져 있었다.

이런 일이 반복되자 그는 그것들을 가져다 관가에 바치곤 했다.

유성의 아름다운 얘기는 사람들의 입을 타고 널리 전해졌다. 이 일들은 관리의 글을 통해 임금님에게까지 알려졌다.

중종 임금님은 여러 사람들의 좋은 본보기가 된 그에게 상을 내리고, 부역을 면해 주었다.

유성의 네 아들도 모두 장사를 하여 큰 부자가 되었다. 자식들도 아버지를 닮아 효성이 지극하고 우애가 깊었다고 한다.

귀머거리 고순

고순은 귀머거리였지만, 학문에 조예가 깊었다.
"학문에 대한 열의가 대단한 사람이야."
"그러게 말야. 귀만 들렸으면 더 바랄 것이 없지."
관료들의 입소문은 성종 임금에게까지 들어가게 되었다. 임금님은 그의 세상 보는 눈을 평가하기 위해 글을 써 오도록 하였다.
고순은 임금님에게 올릴 글을 어떻게 써야 할지 고민하였다.
'임금님께 어떤 것을 써 올려야 하나? 글이란 쓰기 나름인데. 이 세상이 되어 가는 형편을 좋게 쓸 수도 있고…… 그래 내가 세상을 느낀 대로, 본 대로 써야지. 부패한 정치가들과 아첨꾼들, 그들 때문에 힘든 백성들, 사실대로 쓰리라.'
글을 받아 읽어본 임금님은 온몸을 부르르 떨었다.
"아니, 이건 순전히 비방하는 글투성이군. 자신의 신체가 불편하다고 이렇게 세상을 비뚤어지게 보다니…… 고순 그 자가 학문에 조예가 깊다고 하더니 순 엉터리일세."
임금님 곁에서 이를 지켜본 신하가 고순을 찾아가 사실대로 일러 주었다.
"괜찮소. 내 할 말을 다 했으니 더 바랄 것이 무엇이겠소. 진실이란 밝혀지게 마련이니 언젠가는 임금님께서도 알아 주실 날이 있겠지."
고순은 오히려 신하를 위로하며 웃어 넘겼다.
학문에 뜻을 둔 선비들의 모임에서 신영희를 처음 본 고순은 그에게 시 한 수를 적어 주었다.

　봄기운이 완연한 때 정자에 둘러앉아
　아기자기하게 나누는 말들 정겨워 보이네.
　들리지 않는 나만 아무것도 모르니
　고개 떨구고 괜시리 책만 뒤적인다.

신영희는 고순의 시를 잘 간직하며 답하는 시 한 수를 적었다.

　세상 돌아가는 소리 귀에 시끄럽고
　더러운 오물 냄새 코를 진동하네.
　그대여! 부러울 따름이다
　조용히 천 권의 책을 읽으니.

　그들은 처음 본 사이인데도 이렇게 마음이 맞아 그 후로 절친한 친구
사이가 되었다.

송평의 횡령죄

　종이 만드는 조지서에 근무하던 사람 중에 송평이라는 관리가 있었
다. 그는 첩을 두고 있었는데, 그 첩에게 푹 빠져 무엇이든지 해 달라는
대로 다 해 주었다.
　어느 날, 송평의 첩이 심심해하며 하품을 연신 해 댔다. 그는 첩을 즐
겁게 해 주려고 종이로 삿갓을 만들어 여인에게 건네주었다.
　그 종이는 중국에서 들여온 값비싼 종이로, 공문서로 쓰이던 것이었

다. 이 사실은 첩의 입을 통해 마을 여인네들에게 알려지게 되었고, 급기야는 송평을 시기하던 사람의 귀에까지 전해지게 되었다.

그 사람은 즉시 관가에 고발하여 송평을 횡령죄로 몰아 붙였다.

송평은 결국 한 장의 종이로 인해 자손 대대로 벼슬길이 막히게 되어 버렸다. 죗값을 치르고 옥에서 나온 지 3년이 지났다. 송평의 사람됨을 잘 알고 있던 성종 임금은 회의가 끝나고 지나가는 말로 한 신하에게 물었다.

"송평은 첩 때문에 어처구니없는 일을 당했으니 지금은 그 첩과 헤어졌겠지?"

"아니옵니다. 아직도 그 여자와 살고 있습니다."

임금님은 어처구니가 없는지 아무 말도 하지 않았다. 성종 임금은 송평의 횡령죄를 기록한 것을 없애 주려고 꺼낸 말이었다. 하지만 자신의 신세를 망친 그 여자에게 아직도 빠져 있다는 말을 듣고 그 마음이 사라져 버렸다.

송평의 자손들은 대대로 벼슬길이 막혔으나, 증손 때 복견이라는 자가 문과에 합격하였다. 그 뒤로 송거가 비로소 사간원이 되었지만 겨우 시정으로 그치고 말았다.

이처럼 횡령죄는 그 자손의 벼슬길도 막을 만큼 엄하게 다스려졌다. 종이 한 장이 부른 엄청난 재앙이었다.

참다운 예법

성균관에서는 예로부터 내려오는 전통이 있었는데, 정월 초이렛날이나 명절이 되면 유생들에게 시험을 보게 하는 것이었다.

시험을 치르는 날이 되면 의정부의 정승과 성균관의 높은 벼슬아치들이 참석하였다. 이들이 시험장에 들어와 높은 의자에 자리를 잡고 앉으면 뜰 아래에 줄을 맞추어 서 있던 유생들은 절을 했다.

노수신이 유생들을 가르치는 지관사 자리에 있을 때, 그는 이러한 광경을 보며 생각하였다.

'허, 이것은 올바른 풍습이 아닌 것 같군. 다른 대신들과도 얘기를 나누어 봐야겠는걸.'

그는 여러 대신들을 모아 놓고 느낀 것을 말했다.

"여러분, 제가 알기로는 뜰 아래에 서서 절을 하는 것은 신하가 임금님을 뵐 때 행하는 예법입니다. 모든 유생들의 모범이 되어야 할 시험관들이 저들을 보잘것없이 여긴단 말입니까? 공부하는 유생들을 존중해 주는 참다운 예법을 행해야 합니다. 앞으로는 유생들에게 가벼운 목례 정도만 하게 하고, 시험관들은 그 목례를 받는 정도로만 했으면 합니다."

노수신의 건의를 듣고 있던 대신들은 고개를 끄덕였다. 그 동안 자신들도 느껴 왔던 일이었지만 감히 말하지 못했기 때문이다.

그 후로 나쁜 관행은 없어지고, 선비를 우대하는 바른 예법이 전통으로 자리잡게 되었다.

김시습의 울분

세종 5년에 태어난 김시습은 어린 시절부터 재주가 남달랐다. 다섯 살 때부터 시를 짓곤 했는데, 어린아이가 지은 것이라곤 할 수 없을 정도로 훌륭했다.

그 소문은 궁궐 안까지 알려져 세종 임금이 김시습을 보고자 했다.

임금님은 김시습에게 시 제목을 내려 주었다. 어린 김시습은 잠깐 마음을 가다듬고 난 후, 붓을 들어 써내려갔다.

눈앞에서 김시습의 글재주를 확인한 임금님은 놀라움을 감추지 못했다.

"장차 큰 인물이 될 것 같군. 훗날 훌륭한 관리가 되어 나를 도와 주게."

임금님은 흡족한 마음에 큰 상을 내리고 여러 신하들 앞에서 칭찬을 아끼지 않았다.

세월이 흘러 수양 대군이 어린 조카 단종을 내쫓고 임금의 자리를 차지한 사건이 생겼다.

어지러운 시절을 한탄한 김시습은 세상을 버리고 절로 몸을 숨겼다. 불경을 읽으며 지내던 김시습은 이름을 설잠으로 고쳤다.

가끔 옛 친구들이 그를 만나러 절에 오곤 했다. 김시습은 절에 몸담고 있으면서도 불교에 대해서는 친구들과 얘기를 나누지 않았다. 유교에 심취해 있는 친구들이 별로 듣고 싶어하지 않았기 때문이다.

성종 임금이 자리에 올랐을 때 사람들은 김시습의 행동을 못마땅하게 여겼다. 그는 불자의 몸으로 머리를 기르기 시작했고, 음식을 가리지 않고 먹어 댔다. 또 보통 사람이면 할 수도 없는 일을 마구 저지르고 돌아다녔다.

한번은 이런 일이 있었다.

거리에는 영의정 정창손의 행렬이 지나가고 있었다. 하루 종일 술에 취한 채 돌아다니던 김시습은 그 행렬을 향해 고래고래 소리를 질렀다.

"하하, 저 자가 영의정이냐? 나라 안을 이렇게 해 놓고 무슨 일을 했다고 저다지 거만한 게냐? 이리 내려와 나랑 얘기 좀 하자."

위기일발의 순간이었다. 곧 포졸들이 달려와 김시습의 무릎을 꿇게 하였다.

"놔 두어라. 옛 친구도 친구이거늘 반갑다고 하는 인사인 게지. 여보게 친구, 나중에 정식으로 다시 봄세."

정창손은 천재 김시습을 잘 알고 있는지라 다른 소리는 하지 않고 가던 길을 재촉했다.

김시습은 하는 일 없이 술에 빠져 살았고, 잠이 오면 길거리 아무 데서나 잠을 청했다. 세상의 영화로움과 권력에 염증을 느낀 그는 제정신으로는 살아갈 수가 없었던 것이다. 미친 체하며 권세를 가진 자들에게 호통을 쳤다.

그 뒤 깊은 산으로 들어간 김시습은 세상 밖으로 나오지 않았다. 그는 인적이 없는 곳에서 후세에 남겨 줄 훌륭한 작품을 쓰는 데 몰두했다. 세상에 알려진 것말고도 수만 편에 이르는 글을 썼다고 한다.

충고를 고마워한 대신들

남의 충고를 잘 듣는 사람만이 큰 인물이 될 수 있다. 하지만 지위가 올라갈수록 잘못한 일에 대해 충고해 주는 사람도 드물고, 받아들이는 사람도 기분이 언짢게 마련이다.

'감히 내 앞에서 나를 흉보다니…… 괘씸하군. 어디 두고 보자.'

몸에 좋은 약은 입에 쓴 법이고, 올바른 충고는 귀에 거슬리는 법이다.

다음의 두 일화는 그 본보기가 될 만한 좋은 이야기다.

대사헌 조사수와 정승 심연원은 명종 임금과 강론하는 자리를 함께했다.

"전하, 신 조사수, 드릴 말씀이 있습니다."

"허, 무슨 일인가? 말해 보게."

"예, 심연원에 관한 일입니다. 그가 얼마 전에 첩의 집을 지은 줄로 압니다. 그런데 너무 크고 사치스럽게 지었으며, 단청까지 했습니다. 이는 관리로서 어긋난 행동이라 생각됩니다. 살펴 주시옵소서."

옆에 있던 심연원은 생각지도 않은 조사수의 말에 잠시 어리둥절했다. 심연원은 잠시 마음을 추스린 후, 임금님께 아뢰었다.

"전하, 신 몸둘 바를 모르겠습니다. 무심히 한 행동이 이치에 어긋난 일이란 걸 몰랐습니다. 대사헌 조사수의 충고를 듣고 제 잘못을 깨달았습니다. 신의 잘못을 꾸짖어 주옵소서."

심연원은 진심으로 청하였다.

임금은 두 신하의 얘기를 듣고 흐뭇해했다.

"잘못된 일을 지적받고 반성을 하니 내 어찌 벌하겠는가."

임금님 앞을 물러 나온 심연원은 조사수의 손을 꼭 쥐고 말했다.

"사람이란 자기 앞을 잘 보지 못하는 법인데, 옆에서 나의 잘못된 행동을 지적해 주니 고맙기 이를 데 없소. 내 충고 잘 받아들여 앞으로는 어떤 일을 행함에 있어 한 번 더 생각해 보고 행하겠소."

대궐을 나온 심연원은 집으로 돌아가 화려하게 단청한 것을 모두 지우도록 했다.

주변 사람들은 측근의 충고를 고깝게 여기지 않고 잘 받아들인 심연원의 너그러움을 칭찬했다

선조 임금 때의 일로, 정승 노수신과 수찬 김성일의 일화가 있다.

역사를 강론하는 자리를 끝낸 뒤, 임금이 여러 신하들을 돌아보며 한 마디 했다.

"오늘 강론의 자리는 이만 끝내겠소. 끝으로 과인에게 하고 싶은 말이 있는 대신들은 말씀해 보시오. 내 사심없이 듣겠소."

수찬 김성일이 기다렸다는 듯이 선뜻 나섰다.

"전하, 신 김성일이옵니다. 제가 드릴 말씀은 다름이 아니오라, 정승 노수신이 한 백성으로부터 돼지가죽으로 만든 옷을 받는 것을 보았습니다. 나라의 녹을 먹는 관리가 뇌물을 받는다는 것은 옳지 못한 일이옵니다. 살펴 주시옵소서."

김성일의 건의를 듣고 있던 정승 노수신이 앞으로 나와 아뢰었다.

"전하, 신을 벌하여 주시옵소서. 김성일이 마마께 아뢰는 말은 사실입니다. 소인의 어머니가 나이가 들어 추위를 많이 타십니다. 자식 된 도리로 국경 근처에 사는 먼 친척에게 돼지가죽으로 만든 옷을 부탁해 어머니께 드렸습니다."

양쪽의 말을 다 듣고 난 임금은 두 신하를 가만히 내려다보았다.

"참 보기 좋소. 한쪽은 그릇된 부분을 말해 주고, 충고를 받는 사람은 그것을 고맙게 받아들이니 참 아름다운 모습이오."

이 일이 있은 후, 그들은 서로를 더 아끼고 공경했다고 한다.

장님이 시키는 대로

오래 전 한 시골 사람이 딴 마을로 일을 보러 가다가 날이 저물어 근처 초가집에 머물렀다. 나그네의 짐 속에는 집에서 기르는 비둘기 한 마리가 있었다.

다음 날 날이 밝자 나그네는 머물렀던 집에 감사의 인사를 전하고 길을 나섰다.

한참을 가던 나그네는 다리가 아파 잠시 길에서 쉬었다.

"어휴, 힘들다. 가만 있자, 이 아래 개울가가 보이네. 내려가서 물 한 모금만 마시고 올라와야겠다."

무거운 짐을 놔둔 채 나그네가 개울가로 내려갔다.

이 때, 짐 속에 있던 비둘기는 날갯짓을 푸드득 하며 날아 보려고 안간힘을 썼다.

보따리가 느슨해진 사이로 비둘기는 세차게 날아올랐다.

하늘로 날아오른 비둘기는 하루를 묵었던 초가집 지붕 위를 빙빙 돌았다.

그 집 주인은 마당을 쓸다가 새 한 마리가 자기 집 지붕을 도는 것을 보았다. 초가집 주인은 이상한 생각이 들어 그 마을에 잘 알려진 장님 점쟁이를 찾아갔다.

"물어볼 것이 있어 왔습니다. 새 한 마리가 우는 소리를 내면서 지붕 위를 세 번 돌다가 날아가니 무슨 일입니까?"

장님 점쟁이는 방울을 흔들어 댔다.

"어허, 곧 재앙이 닥칠 것이오. 조상님께 빌어 화를 막아야겠소."

이튿날, 장님 점쟁이는 초가집을 찾아왔다. 장님은 막대기를 들고 여기저기를 둘러 봤다.

"아, 보인다 보여. 귀신들이 화를 내며 곳곳에 있구나. 이들을 잘 구슬려 돌려보내야 화를 면할 것이다. 자, 지금부터 내가 시키는 대로 따라 하시오."

그 집 가족들은 신기한 듯 모두 장님 앞에 모여들었다.

"귀신을 쫓기 위해 경을 읽는 대가로 쌀을 주시오."

장님의 말이 떨어지기가 무섭게 그 집 주인과 가족들이 합창을 했다.

"귀신을 쫓기 위해 경을 읽는 대가로 쌀을 주시오."

점쟁이는 다시 집주인과 가족들을 향해 요청했다.

"옷감이라도 주시오."

집주인과 가족들이 합창했다.

"옷감이라도 주시오."

점쟁이는 기가 막히는 듯 화를 벌컥 냈다.

"아니, 왜들 이러시오. 어째서 내가 말하는 대로 따라 하는지 모르겠네."

장님은 더 이상 못 참겠는지 밖으로 나와 버렸다. 앞이 보이지 않는 점쟁이는 서둘러 나오다가 그만 집 기둥에 머리를 부딪치고 말았다.

그러자 그 뒤를 이어 집주인과 가족들이 차례로 기둥을 들이받았다.

막대기를 짚으며 부랴부랴 그 집을 빠져나오던 장님은 그만 쇠똥에 미끄러져 넘어졌다. 그 뒤를 따르던 가족들은 일부러 쇠똥에 뒹굴기 시작했다. 여기저기에서 쇠똥 냄새가 진동을 했다.

장님은 이제 혼이 나간 듯 서둘러 그들을 떼어 놓기 위해 박덩굴 밑으로 들어갔다. 가족들도 그 덩굴 밑으로 기어 들어갔다. 미처 따라 들어가지 못한 아이들이 울기 시작했다.

"아빠, 우리들은 어떡해요? 저 장님 아저씨가 하는 대로 따라 하지 못하면 큰일난다고 했잖아, 엉엉엉."

덩굴 속으로 들어간 집 주인 내외는 어쩔 줄을 몰라했다.

"애야, 저기 보이는 칡덩굴 밑으로라도 들어가렴."

송순의 면앙정

담양에 있는 면앙정에 올라 아래를 내려다본 사람들은 감탄을 연발하였다. 면앙정은 그 곳을 지나는 선비들이 꼭 한 번씩 들르는 명승지였다. 면앙정은 송순의 정자 이름을 가리키는 것으로 절벽 위에 자리잡고 있었다.

송순은 풍류가로 그가 저술한 책들은 여러 사람의 입에 오르내릴 정도로 유명하다.

그는 20세에 과거에 급제하였고, 판서의 벼슬에까지 올랐으나 그 뒤 관직에서 물러나 고향으로 돌아와 한가로이 글을 쓰다가 89세에 세상을 마쳤다.

송순의 머리가 희끗희끗해졌을 때의 일이다.

가까운 친구들과 술자리를 같이 하며 옛날 이야기를 나누었다.

송순이 참석한 것을 기념하기 위해 감사 송인수는 그를 위해 과거 시험에 합격한 사람에게 내려졌던 어사화를 만들어 꽂아 주었다.

"고맙습니다. 제게 어사화를 꽂아 주시고 환영해 주시니 뭐라 감사의 인사를 드려야 할지…… 젊은 시절 꽂아 보았던 것을 이렇게 반백이 다 되어 다시 꽂아 보니 감회가 새롭습니다."

송순은 감격의 눈물을 흘렸다.

그는 죽기 전에 자식들에게 다음과 같이 당부했다.

"너희들에게 부탁할 일이 있다. 내가 죽은 후에 추석이 돌아오는 때면 면앙정에서 제사를 지내다오. 귀신이 되어서라도 너희들을 잘 돌보아 줄 테니 꼭 명심하거라."

그가 세상을 하직한 뒤 자손들은 그의 소원대로 제사를 지냈다.

임진왜란이 한창인 때, 면앙정은 그만 불타 없어지고 말았다.

세월이 흘러 담양 부사가 된 윤효전이 하루는 불에 타 없어진 면앙정 터를 거닐었다. 송순을 기념하던 곳이 이제는 기왓장만 어지러이 널려 있는 것을 보니 마음이 울적했다.

윤효전은 송순의 자손을 찾아가 뜻을 전했다.

"며칠 전 면앙정이 있던 자리를 갔다 왔소. 널리 알려진 명승지를 황폐하게 내버려 두고 있으니 안타깝기 그지없소. 내가 정자를 세우는 데 필요한 재목과 기와, 목수 등을 마련해 줄 테니 공사를 다시 시작하시오.”

곧 면앙정이 새로 지어졌다. 예전 모습을 보존하기 위해 많은 노력을 기울였다.

추석이 다가와 새로 지은 정자에 성대히 제사를 지냈다.

그날 밤 송순의 한 자손이 꿈을 꾸었는데, 송순이 환한 얼굴로 새로 지은 정자로 걸어 들어가는 꿈이었다.

노인의 교훈

한 선비가 말을 끌고 터벅터벅 길을 가고 있었다. 그는 한때 검열의 관직을 맡았던 상진이라는 사람이었다.

'아, 벼슬에서 쫓겨난 몸, 이제 어디로 가야 할까? 나의 사람됨을 몰라 주는 세상이 밉구나.'

그는 자신의 처지를 한탄하며 사람들을 원망했다.

금천이라는 곳에 다다르자, 그는 말에게 물을 주기 위해 냇가를 찾았다. 상진은 말에게 물과 먹이를 충분히 준 뒤 풀밭에 누워 잠시 휴식을 취했다.

“워이, 워이…….”

근처에서 사람 소리가 나길래 주변을 둘러보았다.

상진이 쉬고 있는 곳에서 얼마 안 떨어진 곳에 한 시골 노인이 소에게 풀을 먹이고 있었다.

자리를 털고 일어난 그는 노인에게 다가가 말을 걸었다.

“여보시오. 소를 아주 튼튼하게 잘 키웠소. 이 근방에 사시는가 본데…….”

상진은 마침 마음도 울적해서 노인에게 이것저것 말을 걸었다.

"예, 저기 보이는 집이 제 집입니다. 선비님은 어디로 가시는 길입니까?"

"아, 그냥 여기저기 정처 없이 다닙니다. 그런데 그 소들은 일을 잘 합니까? 내가 보기에는 저쪽의 큰 소가 기운이 더 셀 것 같습니다만……."

그의 난데없는 질문에 노인은 이내 말문을 닫아 버렸다.

"아닌가? 그럼 이쪽의 작은 소가 더 일을 잘 합니까?"

노인이 무표정한 얼굴로 대답이 없자, 그는 재차 물었다.

"여보시오. 소 두 마리 중에서 어느 소가 일을 더 잘 하는지 묻고 있지 않소?"

상진은 안 그래도 자신의 일로 화가 치밀었는데, 대꾸도 하지 않는 노인을 보자 그만 풀이 죽었다.

슬며시 자신의 말이 매여 있는 곳으로 돌아온 그는 말등에 올랐다.

말을 타고 천천히 걷고 있으니, 뒤에서 부르는 소리가 어렴풋이 들려왔다.

"여보시오, 선비님……."

그가 말을 돌려 기다리자, 노인은 헐레벌떡 좇아왔다.

"헉헉헉, 선비님. 잠시 드릴 말씀이 있습니다."

노인은 무슨 중대한 이야기라도 할 것처럼 보였다.

"조금 전 일은 사과드립니다. 두 소가 듣는 앞에서 선비님의 물음에 차마 답해 드릴 수가 없었습니다. 오랫동안 함께 일해 왔는데, 어느 소가 일을 잘 한다고 가리켜 말할 수가 없었습니다. 사실은 몸집이 작은 놈이 일을 더 잘 한답니다."

노인의 설명을 듣고 난 상진은 깨달은 바가 컸다.

'하찮은 미물 앞에서도 저다지 조심을 하는구나. 하물며 말 많은 사

람들 간에는 얼마나 조심을 하며 살아야 하는지를 알겠구나.'

그는 큰 깨달음을 준 노인에게 감사의 절을 올렸다.

그 뒤로 다시 벼슬길에 나간 상진은 항상 말을 조심하여 남의 입에 오르내리는 일을 하지 않았다. 처신을 잘한 그는 결국 영의정까지 지냈다.

생김새로 사람을 평가하지 마라

강감찬이 한양 판관으로 있을 때의 일이다.

당시 성 안에 호랑이가 자주 나타나 사람들은 두려움에 벌벌 떨었다. 부윤이 이를 걱정하며 강감찬을 찾았다.

"이 일을 어쩌면 좋습니까? 호랑이 때문에 사람들이 다른 곳으로 떠나는 일이 많으니…… 이러다가 이 곳에는 한 사람도 남아 있질 않겠습니다."

"걱정 마십시오. 제게 생각이 있습니다. 며칠만 시간을 주시면 호랑이가 사람들에게 해를 끼치는 일이 없도록 하겠습니다."

강감찬은 급히 심부름하는 하인을 불렀다.

"내일 날이 밝는 대로 북동쪽으로 가면 늙은 스님 한 분이 바위 위에 앉아 있을 것이다. 이 편지를 스님에게 건네 주고, 내가 좀 보잔다고 전해라."

다음 날 새벽 강감찬의 명을 받은 하인은 부리나케 그 곳으로 달려갔다. 과연 초라한 옷을 입고 머리에는 두건을 둘러쓴 늙은 스님이 쌀쌀한 날씨에도 불구하고 바위 위에 웅크리고 앉아 있었다.

편지를 읽은 스님은 하인의 뒤를 따라나섰다.

관가에 도착한 스님은 강감찬에게 예를 올린 뒤 무릎을 꿇고 앉았다.

그는 늙은 스님을 향하여 큰 소리로 꾸짖었다.

"네 죄를 네가 알렷다. 비록 짐승이라 할지라도 해서는 안 되는 일이 있다. 그런데 어찌 함부로 사람들을 해치고 겁을 주고 다니느냐. 앞으로 닷새의 기간을 줄 테니, 네 무리들을 이끌고 여기를 떠나 깊은 산속으로 들어가거라. 이를 어길 시에는 모두 죽음을 면치 못하리라."

서릿발 같은 강감찬의 호령 소리에 늙은 스님은 벌벌 떨었다.

옆에서 이 광경을 지켜보던 부윤은 깔깔대며 웃었다.

"하하하, 지금 무엇 하는 게요? 호랑이를 잡는다더니 늙은 중을 잡고 있지 않소?"

부윤이 믿지 못하겠다는 표정으로 말하자 강감찬이 스님을 향해 한 마디 했다.

"여봐라, 본래 모습으로 변하거라."

그의 말이 떨어지자 늙은 스님은 하늘로 날아올랐다. 곧이어 한 바퀴를 도니 보기에도 사나운 호랑이로 변해 있었다.

"어흥, 어흥."

호랑이의 울음소리가 십 리 밖까지 울려 퍼지자, 부윤은 놀라 자빠지며 숨을 곳을 찾았다.

"사람들이 놀라니 다시 스님으로 돌아오거라."

강감찬이 한 마디 하자 호랑이는 늙은 스님으로 모습을 바꾸고 공손히 물러갔다.

다음 날 부윤과 몇몇 사람은 강감찬이 일러 준 곳으로 가 보았다.

그의 말대로 수십 마리의 호랑이들이 강을 건너가고 있었다. 어제 본 늙은 호랑이가 앞장을 서고, 그 뒤로 크고 작은 호랑이들이 줄을 지어 따라가고 있었다.

이후로 한양에는 호랑이가 다시는 나타나지 않았다.

널리 알려진 또 다른 일화가 있다.

강감찬은 복시(초시에 합격한 사람이 다시 보는 과거)에 장원급제한 후, 벼슬이 수상에까지 올랐다.

하지만 몸집이 작고 얼굴이 볼품 없었다.

송나라 사신이 한양을 방문한다고 해서 군사들을 정렬시켰다. 사신을 접대하는 자리인지라 외모가 출중한 사람을 뽑아 관복을 단정히 입히고 맨 앞줄에 세웠다. 강감찬은 그 다음 줄에 서 있었다.

사신은 정렬해 있는 군사들을 한 번 휘둘러보았다. 사신은 외모가 뛰어난 군사를 가리켜 말했다.

"내가 사람의 관상을 좀 볼 줄 아오. 당신은 이목구비가 수려하지만 큰 인물이 될 만한 사람이 아니오. 게다가 귓바퀴가 얇으니 가난하게 살 팔자요."

다음 줄에 서 있던 강감찬을 훑어보던 사신은 환호성을 질렀다.

"대단한 인물이오. 중국에서도 본 적 없는 훌륭한 관상이오."

강감찬은 몸둘 바를 몰라했다.

정승의 아량

무릇 사람을 평가함에 있어 외모와 옷차림이 그 기준이 되어서는 안 된다. 그런데도 사람들은 초라한 행색의 사람은 업신여겨도 당연하고, 잘 차려 입은 사람에게는 무조건 허리를 굽신거린다.

또한 대부분의 평범한 사람들은 이처럼 겉모습에 끌려 그 사람의 진실된 모습을 외면해 버리는 경우가 많다.

정승 맹사성도 옷차림에 신경을 쓰지 않는 인물 중의 하나였다.

한번은 맹사성이 상복 차림으로 급히 고향으로 내려가던 길이었다. 길을 가던 도중에 비를 만나 마침 길가에 있던 누각으로 올라갔다.

누각 안으로 들어간 맹사성은 비에 젖은 옷을 털고 밖을 내다보았다.

"휴우, 갑자기 쏟아진 비가 세차게 내리는군."

인기척을 느낀 맹사성이 한쪽을 돌아보니 한 선비가 현판을 올려다보고 있었다.

황의헌이라는 그 선비도 갑자기 내린 비를 피하려고 누각에 올라와 있었다. 황의헌은 사람이 온 것을 보고 자랑이라도 하는 듯 현판에 씌어 있는 시를 소리내어 읽었다.

시를 대강 읽은 황의헌은 그제서야 맹사성을 돌아보았다.

"여보시오, 노인 양반. 이 시를 들어 본 적이 있소?"

황의헌의 말투는 맹사성을 깔보는 빛이 역력했다.

"글쎄요, 들어 본 적이 없는 것 같소."

황의헌은 당연한 대답을 들은 듯 눈을 아래로 내리깔았다. 맹사성이 물었다.

"선비님, 이 시의 내용은 무엇인가요?"

"아름다운 경치를 보고 감탄하여 흥에 겨워 지은 것이오."

맹사성은 황의헌의 말이 맞다는 듯이 고개를 끄덕였다.

"그렇군요. 선비님의 설명이 없었다면 무슨 내용인지도 모르고 지나갈 뻔했습니다. 알려 주셔서 정말 고맙습니다."

곧 맹사성의 하인이 누각으로 올라왔다.

"주인 어른, 가마에 포장을 다 쳤습니다. 어서 가시지요."

맹사성은 황의헌에게 가벼운 목례를 하고 누각을 내려갔다.

보잘것없는 노인을 여러 명의 하인이 공손히 모셔가는 것을 본 황의헌은 고개를 갸웃거렸다.

황의헌은 누각을 따라 내려가 뒤따르던 하인을 불러 세웠다.

"잠깐, 말 좀 물읍시다. 저기 모셔가는 늙은이가 대체 누구길래 이렇듯 정중한 게요?"

하인은 뒤를 돌아보며 대답해 주었다.

"맹사성 대감이시오."

황의헌의 얼굴은 파랗게 질려 버렸다.

'아이고, 나는 이제 죽었다. 맹 정승을 알아보지 못하고 이런 실례를 하다니…… 이를 어쩌면 좋단 말인가?'

황의헌은 맹사성 앞으로 나아가 엎드렸다.

"죽을 죄를 지었습니다. 소인이 눈이 멀어 함부로 행동했으니…… 용서해 주십시오."

맹사성이 껄껄 웃으며 말했다.

"상대방을 대할 때는 그 사람의 지위가 높고 낮음에 상관 없이 의지대로 행동해야 하오. 조금 전까지만 해도 자신만만하던 사람이 왜 이리 하찮게 군단 말이오. 나는 갈 길이 바쁜 몸이니 그만 일어나 돌아가시오."

쩔쩔매며 서 있는 황의헌을 뒤로 한 채 맹사성은 갈 길을 재촉했다.

형제간의 우애

부모에게는 효도를 하고, 형제간에는 우애가 있어야 한다는 말은 예부터 전해 내려오는 선조들의 가르침 중의 하나이다.

미수 성담수의 형제들은 의가 좋기로 소문이 나 있었다. 글에도 뛰어난 재주가 있던 성담수는 바로 밑의 여동생 성담년을 비롯하여 십여 명이 넘는 형제 자매가 있었다.

부모님이 늙어 세상을 뜨자, 형제들은 깊은 슬픔에 잠겨 삼년상을 마쳤다.

하루는 장남인 성담수가 여러 형제 자매들을 불러 모았다.

"부모님께서 돌아가시고, 너희들도 시집 장가를 갔으니 부모님께서 그 동안 모으신 재산을 분배하도록 하자."

장남인 성담수와 장녀인 성담년은 귀중한 물건과 힘 있는 하인들, 값나가는 귀중품들을 모두 아래 동생들에게 나누어 주었다.

"나와 네 누나는 부모님께서 제일 소중히 여기시던 것을 가지도록 하겠다."

하지만 그 물건들은 변변치 않은 것들로 값나가는 물건들이 아니었다. 동생들이 마음을 편히 갖게 하기 위해 한 말이었다.

성담수와 성담년은 재산을 분배한 뒤로도 좋은 것을 보면 동생들을 불러 나누어 주고, 맛있는 것이 생기면 함께 먹곤 했다.

장남과 장녀는 하늘이 정해 준다고 했다. 성담수와 성담년은 부모님의 역할을 동생들에게 하고 있었다.

출가한 한 누이동생이 집이 없어 곤란을 겪는 것을 본 성담수는 부모가 물려 준 집을 주려고 했다.

그러나 여러 동생들이 모두 나서서 반대를 했다.

"안 됩니다. 부모님께서 사시던 집만은 형님께서 가지셔야 합니다."

동생들의 만류로 성담수와 성담년은 남아 있던 재물을 모두 팔아 누이동생에게 집을 마련해 주었다.

그 뒤로도 두 사람은 동생들이 힘들고 어려운 일이 생길 때마다 발벗고 나서서 도와 주었다.

슬기로운 왕자들

태종 임금은 여러 왕자들 가운데 셋째 왕자인 충녕 대군을 마음속으로 가장 믿음직스러워하셨다.

'충녕 대군이 여러 왕자들 중에 가장 총명하다. 하나를 가르치면 열을 아니, 이 나라를 이끌어 갈 인물임에 틀림없어. 하지만 첫째인 양녕 대군이 세자로 있으니, 어찌하면 좋단 말인가?'

첫째로 태어난 양녕 대군은 아버지 태종 임금의 속마음을 알아차렸다.

'그래, 나도 아바마마의 생각과 같다. 충녕은 훌륭한 임금이 될 수 있을 거야. 충녕은 어려서부터 그 총명함이 아무도 따를 자가 없었으니까.'

양녕 대군은 셋째 동생에게 왕위를 양보하기 위해 애를 썼다.

마시기 싫은 술을 억지로 마셔 가며 소란을 피우고, 신하들을 못살게 굴었으며, 마음에 들지 않으면 누구라도 붙잡고 싸움질을 했다.

양녕의 허튼짓이 날로 심해지자, 신하들의 원망하는 목소리가 높아져 갔다.

"어휴, 저런 망나니도 없을 거야."

"그러게 말이야. 저래 가지고 어떻게 백성들의 어진 임금님이 된단 말인가?"

"한심한 일이야. 임금님께 상소문을 올리도록 하세."

결국 양녕 대군이 원하는 대로 임금은 세자 자리에서 그를 내쫓고 말았다.

양녕 대군이 망나니짓으로 세자 자리에서 쫓겨나자, 둘째 효령 대군이 세자 자리를 탐냈다. 순서대로 하자면 당연한 일이었다.

밤이 깊어 효령 대군의 거처로 찾아간 양녕 대군은 동생에게 말했다.

"효령 대군, 자네는 내가 정말 미쳤다고 생각하는가? 임금의 자리는 셋째 충녕 대군의 것인 걸 왜 모르는가? 그것이 아바마마의 뜻이야."

형님의 진심어린 충고에 그제서야 둘째 효령 대군은 눈치를 챌 수가 있었다.

효령 대군은 자신이 품었던 욕심을 버리고 절로 들어가 스님이 되었다. 그는 그 후 세속의 물욕을 버리고 부처님을 섬기는 일에만 전념하였다.

두 형의 양보로 왕위에 오르게 된 충녕 대군이 바로 세종 대왕이시다. 세종 대왕은 두 형들의 소원대로 나라를 위해 온 힘을 쏟았다.

'나를 위해 두 형님이 자리를 양보하셨다. 이 은혜에 보답하려면 반드시 훌륭한 임금이 되어야 할 것이다.'

두 형들은 세종 임금을 지켜보며 자신들의 선택에 만족해했다.

언젠가 효령 대군이 절에서 성대한 법회를 열었다. 거기에 사냥을 즐기는 양녕 대군이 친구들과 함께 왔다. 양녕 대군은 사냥개 여러 마리와 날카로워 보이는 사냥매를 데리고 있었다.

스님이 된 효령 대군은 오랜만에 보는 형님에게 인사를 했다.

"그 동안 별고 없으셨는지요?"

"나야 항상 그렇지 뭐. 동생은 이제 부처님의 종이 다 되었네그려, 하하하."

인사를 마친 양녕 대군은 같이 온 친구들과 함께 절의 주변을 돌아다니며 사냥을 시작했다.

활과 화살이 하늘로 휙휙 소리를 내며 날아다녔다.

어느덧 날이 저물었다. 사냥을 마친 그들은 절로 돌아와 불을 피우고 사냥감들을 구워 먹기 시작했다.

"와, 오늘도 참 재미난 하루였어."

"사슴이랑 재빠른 새들도 많이 잡았고……."

"다 구워진 모양이야. 자, 먹자고. 가만 있자, 스님들께도 한 점씩 나

뭐 드려야지."

"예끼, 이 사람아. 싱거운 소리 집어치우고 술이나 한잔 따르게."

신성한 절을 찾아와 사냥을 하고 그것도 모자라 살생을 한 뒤에 술을 마셔 대니, 보통 사람으로서는 할 수 없는 일이었다.

스님들의 불평의 목소리가 높아지자, 보다못한 효령 대군이 형을 찾아갔다.

"형님, 어째 이런 일들을 서슴지 않고 하신단 말입니까? 하늘이 무섭지도 않습니까? 부처님을 모시는 절에서 이런 짓을 벌이다니, 스님들의 원망이 자자합니다."

"아이고, 동생. 그러지 말고 이리 와서 이 맛난 음식 좀 들게나."

동생의 충고에도 아랑곳하지 않는 형을 보니 효령 대군은 화가 치밀었다.

"계속 이러실 거면 앞으로 저를 볼 생각도 하지 마십시오."

"동생, 나는 앞으로 아무 걱정이 없네. 살아서는 이 나라 제일인 임금의 형이고, 죽어서는 부처님을 섬기는 스님의 형님이니 무얼 두려워하겠나."

형님의 넉살 좋은 말에 동생은 그저 바라만 볼 뿐이었다.

세종 대왕의 일화

세종 대왕이 왕자로 있을 때의 일이다.

여러 대군들이 제천정에서 잔치를 벌이고 있었다. 과거를 보는 날이 가까워 오자 지방에서 올라온 선비들이 강을 건너느라 웅성거리고 있었다.

강 쪽을 바라보던 세종은 여러 사람들 가운데 한 사람을 뚫어져라 바라보았다.

"여봐라, 저기 보이는 저 젊은이를 불러오너라."

신하는 세종이 손가락으로 가리키는 곳으로 가서 그 젊은이를 데려왔다.

"그대 이름은 무엇인가?"

"네, 소인은 현석규라고 합니다."

"내가 멀리서 몰려 있던 사람들 틈에서 자네를 발견했네. 앞으로 큰 인물이 될 걸세."

"과분한 칭찬에 몸 둘 바를 모르겠습니다."

세종은 그를 잔치에 참석시켜 잘 대접하였다.

사람들은 임금이 옷도 허름하고 외모도 볼품없는 젊은이에게 왜 그렇게 극진히 대접하는지 이유를 알 수 없었다.

잠시 후, 세종은 무슨 생각이 난 듯 주위를 돌아보며 물었다.

"여기에 혹시 시집보낼 딸을 가진 사람이 있소?"

세종의 둘째 형인 효령 대군이 말했다.

"서원군에게 딸이 있지."

"훌륭한 사위를 맞고 싶으면 이 사람을 택하십시오."

서원군이 앞으로 나와 젊은이에게 몇 가지를 물어보았다. 그리고는 탐탁지 않게 말했다.

"우리 집안과 비교하여 너무 보잘것없는 듯하오."

"그렇지 않소. 원래 걸찍한 인물은 시골에서 많이 나왔으니, 내 말을 믿고 이 젊은이와 딸을 맺어 주도록 하시오."

서원군은 사람을 시켜 그 선비에 대해 알아보도록 했다. 과연 그는 영남의 소문난 선비로 학문이 매우 깊다고 했다.

서원군의 사위가 된 현석규는 과거에 급제하여 후에 벼슬이 참찬에까지 이르렀다.

지혜로운 세종 임금은 사람 보는 눈이 남달랐다고 전해진다.

두 상주

정승 어세겸은 성품이 활달하고 사소한 일에는 신경 쓰지 않는 대범한 인물이었다.

그가 정승 벼슬에 있을 때, 부모님이 돌아가시었다. 그를 아끼는 성종 임금이 그를 불러 당부의 말을 했다.

"내 그대에게 당부할 말이 있소. 상주의 몸이지만 건강에 각별히 신경을 써 주시오. 나이도 있고 하니 음식을 가리지 말고, 잠도 푹 자도록 하시오. 내 말을 명심하시오."

어세겸은 임금님의 말씀을 명심했다.

'상주의 몸으로서 음식을 가리지 않고 고기 반찬을 먹는다면 사람들이 웃을 것이다. 하지만 나는 나라의 중대한 책임을 진 정승의 몸이 아닌가? 큰일을 위해서는 사람들의 비웃음쯤은 감수해야 한다.'

어세겸은 푹 쉬었으며, 음식도 가리지 않고 먹었다.

이를 지켜본 아랫사람들은 그가 보는 곳에서는 쉬쉬하면서도 뒤돌아서서 흉을 보았다.

"글쎄, 아랫사람들의 본보기가 되어야 할 정승이 상주의 몸으로 할 짓 안할 짓 다 하는구먼."

"그러게 말야. 아랫사람이 보고 있는데 드러내 놓고 저러니, 나 원 참."

측근으로부터 비방의 소리를 전해 들은 어세겸은 껄껄 웃고 말았다.

"할 수 없지 않소. 사실인걸. 하지만 내 자신을 그대로 내보이니 마음은 편하오. 사람들이 보는 데서는 고기를 먹지 않고, 보지 않는 곳에서는 고기를 먹었다면 더 신경이 쓰였을 것이오.”

사람들은 남들이 수군대든 말든 자신이 옳다고 믿는 바를 실천하는 그 대범함에 모두들 혀를 내둘렀다.

이 이야기와 대비되는 또 다른 상주의 이야기가 있다.

김일손이라는 사람은 상주가 된 후로 금하는 음식을 철저히 지켰다. 또한 잠도 잘 못 이룬 날이 허다했다.

그의 몸은 약해질 대로 약해져 그만 몸져눕고 말았다.

그의 친구들이 나서서 말렸다.

“상주 노릇 하다가 목숨을 잃겠네. 이제 음식을 제대로 먹게나.”

“지금 자네가 하는 행동은 부모님께 불효하는 것일세.”

“어서 고깃국도 먹고 해서 기운을 차리게.”

김일손 역시 친구들이 말하지 않아도 음식을 먹으려던 참이었다.

기운을 차린 김일손이 친구에게 웃으며 한 마디 했다.

“예전에 한림원에 있을 때, 재상 어세겸이 상주로서 어긋난 행동을 한다고 비방한 적이 있었는데 내가 그 신세가 됐구먼.”

김일손은 말을 마치고 씁쓸한 표정을 지었다.

작품 알아보기
(고전 문학)

《금오신화》는 조선 전기에 김시습이 지은 한문 소설집으로 〈만복사저포기〉, 〈이생규장전〉, 〈취유부벽정기〉, 〈용궁부연록〉, 〈남염부주지〉 등 5편이 수록되어 있다.

소설적인 특성은 첫째, 주인공들이 한결같이 재능이 뛰어나고 외모가 출중하다는 점이며, 둘째, 한문투의 대화가 중심이 된 문장 표현으로 사물을 극히 미화시키고 있으며, 셋째, 일상적·현실적인 것과 거리가 먼 신비로운 내용을 그린 점 등이다. 나아가 인간성을 긍정하고, 현실 속에서 제도·인습·전쟁·인간의 운명 등과 강력히 대결하려는 인간의 의지를 표현하고 있다.

이 소설은 한국 전기체 소설의 효시로서, 이후 우리 나라의 소설 문학에 많은 영향을 끼친 작품으로 볼 수 있다.

《대동야승》은 조선 전기 《용재총화》에서 시작하여 인조 때까지의 야사 59종을 수록한 전집이다. 조선 시대 여러 사람들이 쓴 야사와 패설을 모아 놓은 작품집으로, 편찬 시기는 대략 18세기로 추정되며, 편찬자는 누구인지 알 수 없다.

책 내용을 살펴보면, 《용재총화》처럼 책 전문이 실려 있는 것도 있지만, 원전의 일부분만 실은 것도 있다. 쉽게 구하기 어려운 야사들이 많이 실려 있어, 조선 시대의 역사와 문학을 연구하는 귀중한 자료가 된다.

논술 길잡이
(고전 문학)

❶ 아래 그림은 《금오신화》에 나오는 한 장면이다. 《금오신화》
의 다섯 이야기 중 어느 것에 속하는지를 알아보고, 그 줄거
리를 써 보자.

....

....

....

....

....

논술 길잡이
(고전 문학)

❷ 《금오신화》에 나오는 다섯 이야기는 모두 비현실적인 내용
들이다. 특히, 꿈 속의 이야기가 현실화되는 장면이 자주 등
장하는데, 그러한 장면을 찾아서 자신의 느낌을 논술해 보
자.

----

❸ 《대동야승》에 나오는 이야기 중 가장 기억에 남는 내용은 어
떤 것이며, 그 이유는 무엇인지 적어 보자.

논·술·한·국·대·표·문·학 〈전60권〉

펴 낸 이   정재상
펴 낸 곳   훈민출판사
주   소   경기도 고양시 덕양구 원당동 416번지
대 표 전 화   (031)962-3888
팩   스   (031)962-9998
출 판 능 록   세395-2003-000042호